DC: 0-3

DC: 0-3

Diagnostische classificatie van psychische en ontwikkelingsstoornissen bij infants

ZERO TO THREE: National Center for Infants, Toddlers and Families (vertaling: J.C. Visser)

2005 ≋ KONINKLIJKE VAN GORCUM

WBS/SPH

© 2005, Koninklijke Van Gorcum BV, Postbus 43, 9400 AA Assen.

NUR 875

ISBN 90 232 4057 X

Oorspronkelijke titel: *Diagnostic classification: 0-3. Diagnostic classification of mental health and developmental disorders of infacncy and early childhood*
Oorspronkelijk gepubliceerd in de Verenigde Staten door ZERO TO THREE: National Center for Infants, Toddlers and Families. Copyright © 1994 (www.zerotothree.org).

Grafische verzorging: Koninklijke Van Gorcum, Assen

Inhoud

Inleiding bij de Nederlandse vertaling van de DC: 0-3

In 1994 verscheen de Diagnostic Classification of Mental Health and Developmental Disorders of Infancy and Early Childhood, ook wel 'DC: 0-3' genoemd, onder verantwoordelijkheid van de werkgroep 'Zero to Three: National Center for Infants and Toddlers and their Families'. De DC: 0-3 is ontwikkeld door specialisten op het terrein van de infant psychiatrie en is het eerste diagnostische classificatie systeem van psychopathologie voor gebruik bij zeer jonge kinderen. Het is een systeem dat bedoeld is als aanvulling op de DSM-IV (Diagnostic and Statistical Manual of Mental Disorders 4th Edition, APA, 1994). Want hoewel een aantal categorieën uit de DSM-IV bij jonge kinderen gediagnosticeerd kunnen worden, zijn de criteria nog onvoldoende onderzocht en aangepast voor gebruik beneden de leeftijd van 3 jaar.

In de DC: 0-3 wordt evenals in de DSM-IV een classificatie gegeven op vijf assen. Op as I komt de primaire classificatie net als in de DSM-IV. As II wordt een speciale as voor de classificatie van stoornissen in de relatie met primaire verzorgers. As III dient, behalve voor de classificatie van somatische aandoeningen zoals in de DSM-IV, ook voor ontwikkelingsdiagnoses en psychiatrische diagnoses uit andere classificatie systemen. As IV dient voor de classificatie van de impact van stressfactoren, en werd aangepast voor de jonge leeftijd. As V tenslotte, dient net als in de DSM IV voor de beoordeling van het functioneringsniveau.

Er zijn duidelijke verschillen in benadering tussen de DSM-IV en de DC: 0-3. De DC: 0-3 heeft een hiërarchische opbouw die voortvloeit uit verschillende theorieën over de ontwikkeling van symptomen en de bijbehorende prognose en kan als leiddraad dienen voor de behandelplanning. Zo krijgen de traumatische stressstoornis en vervolgens de regulatiestoornissen voorrang boven andere stoornissen. Een tweede verschil is dat de DC: 0-3 in tegenstelling tot de DSM-IV typologisch en niet algoritmisch van aard is: voor de verschillende categorieën bestaan er slechts beperkte richtlijnen voor het gebruik van de beschreven kenmerken.

Het DC: 0-3 systeem richt zich meer op het functioneren in een ontwikkelingsperspectief en op het relatieaspect met de verzorgers. Om te kunnen classificeren dient men na te gaan welke ontwikkelingsprocessen bij de symptomen betrokken zijn, wat de bijdrage is van constitutionele en rijpingsfactoren en wat de invloed is van omgevingsfactoren, in het bijzonder de interactie met primaire verzorgers.

De meeste categorieën uit de DC: 0-3 hebben een tegenhanger in de DSM-IV. Maar het systeem kent ook twee experimentele categorieën: de 'regulatiestoornissen' en de 'multisysteem ontwikkelingsstoornissen' (Multi System Developmental Disorders: MSDD). De regulatiestoornissen omvatten de constitutionele of op rijping gebaseerde problemen in de prikkelverwerking en in de regulatie van fysiologie, emoties en gedrag. De MSDD zijn stoornissen in de relatievorming en de communicatie. Zij zijn nauw verwant aan de autistische spectrumstoornissen, maar de symptomen zijn minder ernstig en worden als secundair beschouwd aan problemen met regulatie en prikkelverwerking.

Het belang dat het DC: 0-3 systeem toekent aan de relatie met de primaire verzorgers komt naar voren in een aparte as voor de classificatie van stoornissen in die relaties, met een bijbehorende schaal: de 'Parent-Infant Relationship Global Assessment Scale (PIR-GAS)'. Op as V tenslotte, wordt het functioneringsniveau gescoord met een schaal, de 'Functional Emotional Assessment Scale', die een ontwikkelingsgericht kader biedt waarin verschillende functioneringsgebieden geïntegreerd kunnen worden. De schaal is niet eenvoudig in gebruik en behoeft meer specificatie (Emde & Wise, 2003).

Sinds de publicatie circa 10 jaar geleden zijn de nieuwe concepten uit de DC: 0-3 een grote stimulans gebleken voor het klinisch werk met jonge kinderen en hun gezinnen en is het onderzoek op gang gekomen naar de betrouwbaarheid en validiteit van het classificatiesysteem. Op grond van deze bevindingen zijn vragen geformuleerd en voorstellen gedaan voor herziening.

Een van deze vragen is of de voorgestelde hiërarchie van classificaties in de DC: 0-3 gehandhaafd moet worden. De strikte differentiatie binnen de DC: 0-3 van primaire versus secundaire symptomen en de beperkte mogelijkheid tot het stellen van meer dan één diagnose, veronderstelt dat men zeker is over de etiologie van symptomen in een leeftijdsfase waarin er nauwe verwevenheid is tussen de verschillende ontwikkelingsgebieden onderling in samenhang met omgevingsfactoren (Anders, Goodlin-Jones & Sadeh, 2000). Zo worden gedragsstoornissen in de DC: 0-3 niet als afzonderlijke categorie opgenomen, terwijl deze een hoge prevalentie kennen bij kinderen onder de 4 jaar en bovendien neigen te persisteren (Lavigne, 1998; Thomas & Clark, 1998; Campbell, 1995). Uit onderzoek naar gedragsstoornissen en aandachtstekort en hyperactiviteitstoornissen (volgens DSM-IV criteria), bij kinderen tussen 1 ½ en 4 jaar, bleek dat bij hen aan de DC: 0-3 criteria werd voldaan voor regulatiestoornissen, affectieve stoornissen en/of traumatische stressstoornissen (Thomas & Guskin, 2001). Hieruit is af te leiden dat in de DC: 0-3 de vroege risicofactoren en sociaal-emotionele symptomen als primair worden beschouwd. In het verlengde hiervan kunnen eet- en slaapstoornissen in principe minder vaak geclassificeerd worden met de DC: 0-3, aangezien deze in de eerste levensjaren zelden geïsoleerd optreden, vrijwel altijd gerelateerd zijn aan problemen in de regulatie en prikkelverwerking, en meestal een relationele component bevatten (Anders, Goodlin-Jones & Sadeh, 2000; Chatoor, 1997).

In onderzoek naar regulatiestoornissen komt naar voren dat er geen duidelijke afgrenzing is ten opzichte van normale variaties in de ontwikkeling. Er is een overlap tussen verschillende regulatiestoornissen onderling (Barton & Robins, 2000) en er is een overlap tussen regulatiestoornissen en MSDD. In prospectieve studies naar matige tot ernstige regulatieproblemen vóór het 1e jaar werd een duidelijke associatie gevonden met uiteenlopende problemen op 4 jarige leeftijd (DeGangi, Porges, Sickel & Greenspan, 1993; Breinbauer, Doussard Roosevelt, Porges & Greenspan, 2000). Een vergelijkende studie naar regulatiestoornissen en MSDD volgens DC: 0-3 criteria, waarin gedragsmatige, talige en relationele profielen werden onderzocht, toonde aan dat MSDD-kinderen significant hoger scoorden op de schalen 'internalisatie' en 'teruggetrokken gedrag' en meer beperkingen vertoonden op taalgebieden als: communicatieve gebaren, spontane spraak en verbaal begrip. Bij kinderen met regulatiestoornissen daarentegen, kwamen meer somatische problemen voor (Cesari, Maestro, Cavallaro, Chilosi, Pecini, Pfanner & Muratori, 2003). Hierbij rijst de vraag of de MSDD wel van de pervasieve ontwikkelingsstoornis te onderscheiden is. Wat de 'traumatische stressstoornis' betreft, is de DC: 0-3 bij jonge kinderen veel sensitiever gebleken dan de DSM-IV, zonder dat de cluster 'nieuwe angsten' en 'agressie' uit de DC: 0-3 hier echter aan bijdraagt (Scheeringa, Zeanah, Myers & Putnam, 2003). Voor de 'reactieve hechtingsstoornissen' verschaft de DC: 0-3 nog geen duidelijke criteria: omgevingsrisico's worden uitvoerig beschreven, maar niet de kenmerken van gehechtheidsgedrag bij het kind (Stafford, Zeanah & Scheeringa, 2003).

In de eerste levensjaren zullen problemen en stoornissen bij het kind doorgaans samen gaan met problematische interacties met de primaire verzorgers (Keren, Feldman & Tyano, 2001). Omgekeerd kan het disfunctioneren van primaire verzorgers een grote impact hebben op het kind. De ouder-kind relatie dient dan ook mede het focus zijn van diagnostiek en interventies (Zeanah, Larrieu, Scott Heller & Valliere, 2000). Met een aparte as voor de classificatie van stoornissen in de ouder-kind relatie komen deze factoren beter in beeld met de DC: 0-3. Nadeel is dat de beschreven criteria voor verschillende typen stoornissen een overlap vertonen en dat het accent op het gedrag van de ouder komt te liggen en kindgedrag als reactief wordt omschreven. Een andere beperking is dat met de schaal voor de beoordeling van de ouder-kind relatie, de PIR-GAS, alleen scores vanaf het 40e percentiel geclassificeerd kunnen worden, terwijl minder ernstige verstoringen relatief veel impact kunnen hebben (Keren, M., Feldman, R. & Tyano, S. 2001).

Sinds de publicatie van de DC: 0-3 zijn er voor slaapstoornissen, eetstoornissen en hechtingsstoornissen voorstellen gemaakt voor indeling in subtypes om de ernst, etiologie, en de specifieke regulatie-, affectieve en relationele kenmerken in kaart te kunnen brengen (Anders, Goodlin-Jones & Sadeh, 2000; Chatoor, 1997; Zeanah & Boris, 2000).

Daarnaast zijn door een onafhankelijke werkgroep (Task Force on Research Diagnostic Criteria: Infancy and Preschool) in 2001 voorlopige diagnostische criteria geformuleerd. Deze voorzien in de behoefte aan heldere criteria voor wetenschappelijk onderzoek naar de validiteit van psychiatrische stoornissen bij kinderen tot 5 jaar: de 'Research Diagnostic Criteria-Preschool Age' (RDC-PA). De RCD-PA zijn compatibel met de DSM-IV benadering van psychopathologie om vergelijking met classificaties op latere leeftijden te vergemakkelijken. Richtlijnen van de RDC-PA zijn dat criteria gebaseerd dienen te worden op waarneembaar gedrag of door het kind gerapporteerde gevoelens en gedachten en niet afgeleid mogen worden uit vermoedens daarover. Ouderlijk gedrag, hoe belangrijk ook, mag ook niet worden opgenomen in de diagnostische criteria voor het kind. Belangrijk is verder dat er een goed onderscheid wordt gemaakt tussen functioneringstekorten en psychiatrische symptomen. Aanpassing van de categorieën: 'voedingsstoornissen', 'reactieve hechtingstoornissen' en 'posttraumatische stressstoornissen' komen overeen met bovengenoemde voorstellen. Voor aandachtstekort stoornissen, gedragsstoornissen, depressie en slaapstoornissen werden in de RDC-PA nieuwe en leeftijdsspecifieke criteria geformuleerd die voor de leeftijd tussen 3 en 5 à 6 jaar goed onderzocht zijn.

In het verlengde van de RDC-PA is een gedeeltelijke herziening van de DC: 0-3 in voorbereiding, waar een aantal aanvullingen en nadere specificatie van criteria in opgenomen zullen worden (vooral voor de twee subtypes reactieve hechtingstoornissen, de regulatiestoornissen, aanpassingsstoornissen en voedingsstoornissen). Tenslotte is een voorstel gemaakt voor een additionele zesde as, een 'familie as', waarin de familieanamnese voor psychische stoornissen, de draagkracht en de culturele aspecten in opgenomen kunnen worden (Emde & Wise, 2003).

Het zal duidelijk zijn dat de DC: 03 in de toekomst op een aantal punten verbeterd zal worden. De huidige versie is desondanks een aanwinst voor de klinische praktijk en is bedoeld om het onderzoek naar psychiatrische stoornissen bij jonge kinderen verder te stimuleren.

Juni 2004
J.C. Visser

Deze vertaling is tot stand gekomen met de hulp van prof. dr D. Deboutte (University Centre of Child and Adolescent Psychiatry, Antwerpen, België) en prof. dr J.K. Buitelaar (Ackjon/UMC St Radboud, Nijmegen).
Prof. dr P. de Château is de initiatiefnemer geweest voor deze vertaling.

Referenties

American Psychiatric Association (1994). Diagnostic and Statistical Manual of Mental Disorders, 4th edition. (DSM-IV). Washington, D.C.: Author.

Anders, Th. Goodlin-Jones, B. & Sadeh, A. (2000). Sleepdisorders. In: Ch. H. Zeanah (Ed), Handbook of Infant Mental Health, 2nd edition (pp. 311-325). New York/London: The Guildford Press.

Barton, M.J. & Robins D. (2000). Regulatory Disorders. In: Ch. H. Zeanah (Ed), Handbook of Infant Mental Health, 2nd edition (pp. 311-325). New York/London: The Guildford Press.

Campbell, S.B., Shaw, D.S. & Gilliom, M. (2000). Early externalizing behavior problems: toddlers and preschoolers at risk for later maladjustment. Development and Psychopathology 12, 467-488.

Cesari, A., Maestro, S., Cavallaro, C., Chilosi, A., Pecini, C., Pfanner, L., & Muratori, F. (2003). Diagnostic boundaries between regulatory and multisysytem developmental disorders: a clinical study. Infant Mental Health Journal, 40 (4), 365-377.

Chatoor, I. (1997). Feeding disorders of infants and toddlers. In: J.D. Noshpitz (Ed) Handbook of Child and Adolescent Psychiatry, (pp. 367-386) New York: Wiley and Sons,.

Chatoor, I. (2002). There is more than one feeding disorder: theoretical issues of diagnosis and classification. Paper presented at the 8th Congres of the World Association for Infant Mental health, July 16-20, Amsterdam.

DeGangi G.A., Porges, S.W. Sickel, R.Z. & Greenspan, S.I. (1993). Four year follow-up of a sample of regulatory disordered infants. Infant Mental Health Journal,14 (4), 330-343.

DeGangi, G.A., Breinbauer, C., Doussard Roosevelt, J., Porges, S.W. & Greenspan, S.I. (2000). Prediction of childhood problems at three years in children experiencing disorders of regulation during infancy. Infant Mental Health Journal, 21 (3), 156-175.

Emde, R.N., Wise, B.K. (2003). The cup is half full: initial clinical trials of DC: 0-3 and a recommendation for revision. Infant Mental Health Journal, 40 (4), 437-446.

Keren, M., Feldman, R. & Tyano, S. (2001). Diagnoses and interactive patterns of infants referred to a community-based infant mental health clinic. Journal of the American Academy of Child and Adolescent Psychiatry, 40 (1), 27-35.

Lavigne, J.V., Arend, R., Rosenbaum, D., Binns, H.J., Kaufer Christoffel, K & Gibbons, R.D. (1998). Psychiatric disorders with onset in the preschool years: I. stability of diagnoses. Journal of the American Academy of Child and Adolescent Psychiatry, 37 (12), 1246-1254.

Research Diagnostic Criteria Infancy and Preschool: (Scheeringa M., chair). Research diagnostic criteria for infants and preschool children: the process and empirical support. Journal of the American Academy of Child an Adolescent Psychiatry, 42: 1502-1512.

Scheeringa, M., Zeanah, Ch.H., Myers, L., & Putnam, F. (2003). Co-morbidity in traumatized preschool children with and without PTSD. Journal of the American Academy of Child and Adolescent Psychiatry, 42,561-570.

Stafford, B., Zeanah, Ch.H., & Scheeringa, M. (2003). Exploring psychopathology in early childhood: PTSD and attachment disorders in DC: 0-3 and DSM-IV. Infant Mental Health Journal, 40 (4), 398-409.

Thomas J.M. & Clark R. (1998). Disruptive disorder in the very young child: Diagnostic Classification 0-3 guides identification and relational interventions. Infant Mental Health Journal, 19, 229-244.

Thomas J.M. & Guskin, K.A. (2001). Disruptive behavior in young children: what does it mean? Journal of the American Academy of Child and Adolescent Psychiatry, 40 (1), 44-51.

Zeanah, Ch. H., Larrien, J.A., Scott-Heller, S. & Valliere, J. (2000). Infant-parent relationship assessment. In: Ch. H. Zeanah (Ed), Handbook of Infant Mental Health, 2nd edition (pp. 222-235). New York/London: The Guilford Press.

Voorwoord

De kennis over de psychische gezondheid en de ontwikkeling in de eerste levensjaren heeft een exponentiële groei doorgemaakt in de laatste twee decennia. Wetenschappelijk onderzoek en klinisch werk heeft de kennis vergroot over de factoren die bijdragen aan het adaptatievermogen en de individuele verschillen tijdens de vroege ontwikkeling. Deze kennis heeft geleid tot een toenemend besef van het belang van preventie en vroege interventie in het scheppen of herstellen van gunstige omstandigheden voor de ontwikkeling van het kind. Uitgebreide evaluatie en accurate diagnostiek kunnen de basis leggen voor effectieve interventie en preventie.

Het diagnostisch kader dat gepresenteerd wordt in de Diagnostische Classificatie van Psychische Stoornissen en Ontwikkelingsstoornissen op Zuigelingenleeftijd en Vroege Kinderjaren (Diagnostic Classification of Mental Health and Developmental Disorders of Infancy in Early Childhood) tracht te voorzien in de behoefte aan een systematische en ontwikkelingsgerichte benadering van de classificatie van psychische stoornissen en ontwikkelingsstoornissen in de eerste vier levensjaren. Het systeem is ontworpen als aanvulling op de bestaande medische en ontwikkelingsgerelateerde referentiekaders voor psychische en ontwikkelingsstoornissen in de eerste jaren.

De Diagnostische Classificatie: 0-3 (DC: 0-3) richt zich op emotionele en gedragspatronen die significant afwijken van de normale ontwikkeling in de eerste levensjaren. Sommige categorieën zijn nieuw en andere geven een beschrijving van psychische problemen zoals die zich manifesteren bij baby's en peuters. In de vroege kinderjaren kunnen deze problemen zich anders manifesteren dan op latere leeftijd en een gunstiger beloop krijgen met behulp van vroege interventies.

De DC: 0-3 is het werk van een multidisciplinaire werkgroep: de Diagnostic Classification Task Force die in 1987 geïnstalleerd werd door Zero to Three, National Center for Infants, Toddlers, and Families, een organisatie die de leidende interdisciplinaire deskundigen vertegenwoordigt op het gebied van ontwikkeling en psychische gesteldheid van kinderen in de eerste levensjaren. Onder de betrokkenen zijn vooraanstaande clinici en onderzoekers uit de Verenigde Staten, Canada en Europa. Het doel van de werkgroep was om gegevens te verzamelen over vroeg optredende stoornissen die in aanmerking komen voor diagnostiek en behandeling. Gedurende de laatste 6 jaar heeft de werkgroep een databestand opgebouwd van gevalsbeschrijvingen uit verschillende centra voor jonge kinderen en hun gezinnen. Deze gegevens lagen aan de basis van de gevalsbesprekingen en identificatie van de verschillende typen gedragsproblemen. Beschrijvende categorieën werden hieruit afgeleid en iedere categorie werd steeds verder verfijnd aan de hand van nieuwe casuïstiek waarbij de oorspronkelijke formuleringen zo nodig werden aangepast.

Van 1987 tot 1990 kwamen de leden van de werkgroep twee keer per jaar bijeen in Washington DC, en via consensus werden de eerste diagnostische categorieën geformuleerd. In 1990 werd de werkgroep uitgebreid met een aantal disciplines om de diagnostische categorieën verder te verfijnen en om het aantal en type instellingen uit te breiden ten behoeve van het databestand. Het verzamelen van observatie- en klinische gegevens door de werkgroep blijft doorgaan; deze gegevens met richtlijnen voor het gebruik, zijn beschikbaar voor geïnteresseerde clinici.

Zero tot Three: National Center for Infants, Toddlers and Families Diagnostic Task Force nodigt uit tot uitwisseling over zowel de DC: 0-3 als over de data verzameling en de gevalsbeschrijvingen die de hier voorgestelde classificaties ondersteunen of daarmee in strijd zijn, en dit ter verbetering van het classificatiesysteem.

Correspondentieadres:
Emily Fenichel, Associate Director, Zero to Three National Center for Infants, Toddlers and Families Diagnostic Task Force, 734 15th Street, NW, Suite 1000, Washington, DC
20005-1013 USA.

Dankwoord

De DC: 0-3 is het werk van velen geweest vanuit de wens om de complexiteit van de vroege ontwikkeling te begrijpen.

Drie mensen verdienen in dit verband speciale waardering. Het zijn Reginald Lourie, medeoprichter en voormalig voorzitter van het National Center for Clinical Infant Programs, Sally Provence, medeoprichter en voormalig voorzitter van Zero to Three/National Center for Clinical Infant Programs, en Kathryn Barnard, voormalig voorzitter van de Research Facilitation Committee en president van Zero tot Three/National Center for Clinical Infant Programs.

Het vooraanstaand onderzoek en klinische werk van Lourie, Provence en Barnard zijn welbekend; hun niet aflatende, continue steun voor de taak van de werkgroep, vanaf het allereerste begin, heeft veel bijgedragen tot het welzijn van zeer jonge kinderen en hun families.

Zero tot Three/N.C.C.I.P. is verder dank verschuldigd aan de A.L. Mailman Family Foundation voor hun ruime en tijdrovende steun aan de publicatie en verspreiding van de DC: 0-3.

Stanley I. Greenspan, M.D.
Serena Wieder, Ph.D.

Inleiding

De formulering van categorieën voor de classificatie van psychische stoornissen en ontwikkelingsstoornissen die zich op zeer jonge leeftijd manifesteren biedt een gemeenschappelijke taal voor clinici en onderzoekers. Het is een middel om observaties en andere gegevens over uiteenlopende stoornissen en functioneringsgebieden systematisch te evalueren, en op den duur de kennis te vergroten over typen stoornissen, factoren van invloed en werkzame bestanddelen van interventies.

Dit classificatiesysteem is een begin en biedt voorlopige kaders die verder aangepast, verfijnd en ontwikkeld zullen moeten worden.

Het debat over diagnostische categorieën is het meest vruchtbaar wanneer de problemen in de context worden geplaatst van de adaptieve vermogens, risicogebieden en de ontwikkeling. Diagnostische categorieën zijn niet bedoeld als een statisch 'label' voor een kind, zij dienen niet voorbij te gaan aan de adaptatiemogelijkheden en aan het inherente ontwikkelingspotentieel.

Diagnostische categorieën dienen grote nauwkeurigheid te bevorderen in de beschrijving van zowel risicofactoren als beschermende factoren bij het kind; deze nauwkeurigheid zal de leiddraad zijn voor effectievere interventiestrategieën.

Er zijn veel benaderingen mogelijk voor het ontwikkelen van een classificatiesysteem. Vanuit academisch standpunt, zou een systeem descriptief moeten zijn en gebaseerd op etiologie of pathofysiologische processen. In de geschiedenis van de geneeskunde stond de beschrijving van fenomenen aanvankelijk centraal in de diagnostische categorieën. Naarmate de kennis over de pathofysiologie toenam, werden descriptieve categorieën toenemend functioneel en meer gebaseerd op de onderliggende mechanismen.

Gezien de huidige kennis zijn de hier beschreven categorieën descriptief. Sommige categorieën (zoals die waar een traumatische gebeurtenis is opgetreden) verwijzen naar etiologische factoren terwijl andere (zoals regulatiestoornissen) naar pathofysiologische processen verwijzen. Hierover staat alleen vast dat er een verband is waargenomen tussen bijvoorbeeld een traumatische gebeurtenis of een sensomotorisch patroon en een groep symptomen. Verder onderzoek is nodig om deze verbanden te analyseren. De werkgroep voor de Diagnostic Classification heeft voor verschillende methodologische benaderingen gekozen. Omdat onderzoek naar psychische stoornissen en ontwikkelingsstoornissen bij kinderen tot vier jaar een nieuw terrein is, werd een nieuw classificatiesysteem ontworpen door het creëren van een databestand van gevallen die ter beoordeling aan experts werden voorgelegd. Door consensus tussen experts uit het klinische- en research veld, werden voorlopige concepten geformuleerd. De verzameling en analyse van gegevens heeft vervolgens geleid tot veranderingen en verfijning van het oorspronkelijke systeem.

In onderzoek bestaat er een spanningsveld tussen de wens om bevindingen eerst met systematisch onderzoek te analyseren alvorens voorlopige concepten naar buiten te brengen, en de behoefte om dergelijke concepten alvast te verspreiden zodat deze als basis kunnen dienen voor verder onderzoek. De ontwikkeling van de DC: 0-3 vertegenwoordigt een belangrijke eerste stap: de verspreiding van een classificatiesysteem voor psychische en ontwikkelingsstoornissen in de eerste levensjaren dat gebaseerd is op consensus tussen experts. Als raamwerk in ontwikkeling, bevat dit classificatiesysteem niet alle mogelijke stoornissen. Het DC: 0-3 systeem is verder niet bedoeld voor juridische of niet klinische toepassingen.

Klinische benaderingen van onderzoek en diagnostiek

Diagnostiek en behandeling zijn gebaseerd op kennis en theorieën afkomstig uit de klinische praktijk en wetenschappelijk onderzoek. Informatie wordt gebaseerd op theorieën over ontwikkeling, psychodynamiek, gezinssystemen, relaties en gehechtheid, en op observatie van de wijze waarop zeer jonge kinderen hun ervaringen organiseren en integreren. Het wordt verder gebaseerd op observatie van interactiepatronen, van temperament, regulatiepatronen en de individuele verschillen op deze terreinen.

Bij de diagnostiek en evaluatie dient het relationele perspectief centraal te staan: zeer jonge kinderen resoneren immers sterk mee met de directe omgeving en zijn in hun functioneren sterk afhankelijk van de relatie met primaire verzorgers. Het gaat hier om gezinsrelaties die op hun beurt weer onderdeel zijn van samenleving en culturen. Daarnaast dienen het individuele ontwikkelingsbeloop en de individuele variaties in de motorische-, sensorische-, taal-, cognitieve-, affectieve- en interactiepatronen onderzocht te worden.

In de praktijk blijkt het niet steeds haalbaar om recht te doen aan al deze verschillende aspecten. Vaak wordt de voorkeur gegeven aan specifieke theorieën of benaderingen, of worden bepaalde aspecten van de ontwikkeling of van de omgeving eenzijdig belicht. Het focus kan bijvoorbeeld vooral liggen op de projecties van de moeder op haar kind van gevoelens over zichzelf of gevoelens uit een eerdere relatie, terwijl het onderzoek wijst op de invloed van specifieke constitutionele en rijpingspatronen bij het kind die de relatie met de moeder onder druk zetten. Zo kan de primaire focus komen te liggen op de ouder-kind relatie, het gezinssysteem of de externe stressfactoren, ten koste van de kindfactoren.

Met wetenschappelijk onderzoek kan een beperkt aantal variabelen systematisch worden onderzocht in relatie tot bepaalde ontwikkelingsaspecten. In de klinische praktijk dient een systematische benadering echter een brede basis te hebben, rekening houdend met de individuele verschillen: de clinicus weet vooraf niet welke variabelen op welke wijze een overheersende invloed uitoefenen op de ontwikkeling van het kind en op het gezin.

Iedere interventie of behandelprogramma dient gebaseerd te zijn op een zo volledig mogelijk beeld van het kind in zijn/haar omstandigheden. In de praktijk zal een bepaalde visie op de diagnose te zeer prevaleren: voorkeursvariabelen worden in dat geval nauwkeurig onderzocht, ten koste van andere. Clinici zullen geneigd zijn om die functiegebieden niet te beoordelen waarvan de concepten of onderzoeksinstrumenten minder goed ontwikkeld zijn, of waar zij minder mee bekend zijn.

Voor het uitvoeren van een volledig diagnostisch onderzoek en het opstellen van een passend interventieprogramma moet informatie verzameld worden en onderzoek gedaan worden naar alle domeinen die een rol spelen in de ontwikkeling en het functioneren van het kind, daarbij gebruikmakend van actuele kennis inzake:
* aanwezige symptomen en gedrag;
* ontwikkelingsgeschiedenis: het vroegere en huidig functioneren in affectief, talig, cognitief, motorisch en sensorisch opzicht, en het functioneren in het gezin en binnen interacties;
* functioneren van gezin en sociaal-culturele patronen;
* functioneren van ouders;
* verzorger-kind relatie en interactiepatronen;
* constitutionele en neurobiologische factoren;
* medische voorgeschiedenis vanaf de conceptie;
* psychosociale en medische voorgeschiedenis van het gezin en de familie;
* omgevingsfactoren en stressfactoren.

Een volledige evaluatie vergt meestal drie tot vijf contacten van elk 45 minuten of meer. Een volledige evaluatie houdt in: gesprekken met de verzorgers en observaties van kind met ouder(s). Het kind wordt geobserveerd tijdens interacties, waarbij beoordeling plaats vindt van sensorische reactiviteit en verwerking, tonus en motorische planning, taal, cognitieve en affectieve patronen. Gestandaardiseerde ontwikkelingstesten zullen hierbij gebruikt worden.

Een uitvoerige evaluatie maakt het mogelijk om conclusies te trekken over:
* De aard van de problemen alsook van de sterke kanten van het kind; het adaptieve niveau en het niveau van functioneren op de belangrijke ontwikkelingsgebieden.
* De relatieve bijdrage van de verschillende beoordeelde functioneringsgebieden zowel ten aanzien van de problemen als van de competenties van het kind.
* Een geïntegreerd behandel- of preventie-plan.

Wie een diagnostische evaluatie leidt en een interventieplan formuleert dient over de nodige ervaring te beschikken om alle functioneringsgebieden te kunnen beoordelen en te integreren in een samenhangende formulering, en zonodig dienen experts geconsulteerd te worden. Binnen een team dat verantwoordelijk is voor de diagnostiek, de evaluatie en het formuleren van een interventieplan, dient er minstens één professional te zijn met aanzienlijke ervaring met de integratie van gegevens ten behoeve van diagnostiek en behandeling.

Een deel van de expertise omvat kennis over de interactiepatronen tussen kind en verzorger en de relatie met sociaal-emotionele en ontwikkelingskenmerken. Deze expertise impliceert kennis van de variaties in constitutionele en rijpingsfactoren, inclusief de individuele verschillen in motorische, sensorische, talige, cognitieve en affectieve kenmerken van het kind die deze interactiepatronen beïnvloeden. Anderzijds is kennis nodig van de invloed van de omgeving op het functioneren van verzorger en kind, ook in hun onderlinge relatie, en de daaraan gerelateerde ontwikkelingspatronen.

Een volledig onderzoek is niet plaatsgebonden. Indien de instelling niet voor alle onderdelen van de diagnostiek of de behandeling is toegerust dient aanvullende expertise ingewonnen te worden. Op deze wijze worden verschillende instellingen in staat gesteld tot diagnostiek en behandeling van baby's en peuters.

Overzicht van het classificatie systeem

De Diagnostische Classificatie: 0-3 is een vijf-assig classificatiesysteem voor kinderen onder de vier. Aangenomen wordt dat de categorieën in de toekomst aangepast zullen worden naarmate de kennis toeneemt. Het diagnostische raamwerk bestaat uit:

As I: Primaire diagnose van het kind
As II: Ouder-kind relatiestoornissen
As III: Stoornissen of aandoeningen op lichamelijk, neurologisch, psychiatrisch en ontwikkelingsgebied (zoals beschreven in andere classificatiesystemen).
As IV: Psychosociale stressfactoren
As V: Functioneel Emotioneel Ontwikkelingsniveau.

Omdat dit systeem bestemd is voor baby's en jonge kinderen en ontwikkelingsgericht is, wijkt het af van andere systemen, als de DSM-IV en de ICD-10. Dynamische processen zoals het aanpassingsconcept dat gebaseerd is op de relationele en ontwikkelingsaspecten (zie hiervoor ook het functioneel emotioneel ontwikkelingsniveau) spelen hier een prominente rol.

De DC: 0-3 is bedoeld als aanvulling op andere classificatiesystemen waar de classificatie van stoornissen en problemen in de eerste vier levensjaren onvolledig is. De reden hiervoor ligt onder meer in het relatief onontgonnen terrein van klinisch werk met baby's, jonge kinderen en hun gezinnen. Dit diagnostische model beschrijft daarom: 1) problemen of gedragspatronen die in andere classificaties niet behandeld worden, en 2) de vroegste manifestaties van problemen, die in andere classificatiesystemen voor oudere leeftijden worden beschreven. Waar vroege kenmerken worden beschreven van een stoornis die in een ander classificatiesysteem is opgenomen, is getracht om de terminologie te laten aansluiten.

Aangezien de DC: 0-3 een aanvulling is op bestaande systemen, dient daarnaast de Diagnostic and Statistical Manual of the American Psychiatric Association (DSM-IV) te worden gebruikt, waarin een aantal stoornissen is beschreven, die op zuigelingentijd, kindertijd of de adolescentie gediagnosticeerd kunnen worden. Indien een DSM-IV classificatie de beste weergave geeft van de hoofdsymptomen, wordt deze DSM IV classificatie gecodeerd op As I van het DC 0-3 systeem. (Bijvoorbeeld: als hoofddiagnose Pica of Ruminatiestoornis is, een classificatie die niet voorkomt in de DC:0-3, dan dient de DSM-IV classificatie genoteerd te worden als de primaire diagnose onder As I). Indien een DSM-IV classificatie gerelateerd is aan een primaire classificatie uit dit systeem dient deze gecodeerd te worden op As III van dit systeem.

Veel somatische aandoeningen bij zuigelingen en jonge kinderen gaan samen met ontwikkelingsproblemen. Deze relevante medische gegevens dienen op As III genoteerd te worden en te worden beschouwd als een nevendiagnose. Voor somatische aandoeningen wordt de International Classification of Diseases (ICD-9 of ICD-10) gebruikt. Evenzo dienen bevindingen van onderwijzers, logopedisten, ergotherapeuten en fysiotherapeuten op het gebied van cognitie, motoriek en sensoriek opgenomen te worden. Deze gerelateerde diagnoses worden genoteerd op As III van de DC: 0-3.

De hier beschreven diagnostische categorieën werden min of meer gedetailleerd beschreven en soms onderverdeeld in subtypes. Bekende categorieën (identiek aan categorieën die gebruikt worden op oudere leeftijden) zijn over het algemeen wat beknopter beschreven. Categorieën, die meer specifiek voorkomen in de eerste levensjaren en/of gebaseerd zijn op recentere klinische ervaringen of onderzoek, zijn meer gedetailleerd beschreven. Voor sommige categorieën worden subtypes aangegeven ter stimulering van onderzoek en klinische interventieplanning. Nogmaals dient benadrukt te worden dat deze classificatie in ontwikkeling is en naar verwachting verder ontwikkeld zal worden door het klinische werk en wetenschappelijk onderzoek met baby's, peuters en hun gezinnen.

Richtlijnen bij de keuze van de juiste diagnose

Sommige gedragingen, die gezien worden bij zuigelingen en jonge kinderen, worden in meer dan een stoornissen op As I beschreven. Daar een zuigeling of jong kind, in vergelijking met een volwassene, in staat is tot een beperkter aantal gedragspatronen of reacties op stress en moeilijkheden (bijv. somatische symptomen, prikkelbaarheid, terugtrekgedrag, impulsiviteit, angst, en ontwikkelingsachterstand) is het onvermijdelijk dat er soms enige overlap optreedt. De primaire diagnose dient de meest prominente kenmerken van de aandoening weer te geven.

Voor de juiste beslissing over de te stellen diagnostische classificatie bij een gegeven combinatie van problemen, worden de volgende richtlijnen gehanteerd:

1 Als er duidelijk sprake is van stressfactoren die ernstig of belangrijk genoeg zijn, dat wil zeggen een enkele traumatische gebeurtenis of multipele traumata die verband houden met de emotionele of gedragsstoornis dient een Traumatische stressstoornis de eerste optie te zijn: de stoornis zou er immers niet zijn zonder die stress.

2 Bij duidelijke constitutionele of op rijping gebaseerde problemen, op het gebied van sensorische en motorische verwerking, organisatie of integratie, die verband houden met de geobserveerde symptomen, is een Regulatiestoornis de eerste optie.

3 Als de problemen niet zo ernstig zijn en van betrekkelijk korte duur (korter dan vier maanden), en in verband staan met een duidelijke gebeurtenis in de omgeving, zoals wanneer een ouder opnieuw aan het werk gaat, een verhuizing of een verandering in verzorger, dan is een Aanpassingsstoornis de eerste optie.

4 Als er géén duidelijke kwetsbaarheid bestaat op constitutioneel en rijpingsgebied en ook géén ernstige of belangrijke stressfactoren zijn en als het daarbij niet gaat om een mild of kortdurend probleem, en als er géén samenhang is met een duidelijke gebeurtenis, dan dienen de Affectieve stoornissen (Angst-, Stemmingsstoornissen, Gemengde stoornis in emotionele expressiviteit en Genderidentiteitsstoornis) overwogen te worden.

5 Stoornissen waar achterstand op meerdere gebieden, en daarnaast verminderde communicatie en sociale betrokkenheid een rol spelen zijn extreem en opvallend genoeg om als zodanig onderkend te worden. Deze stoornissen gaan meestal gepaard met chronische aanpassingsproblemen, zoals in het geval van Multisysteem ontwikkelingsstoornissen. In het geval van langdurige patronen van verwaarlozing (ter onderscheid van Traumatische stressstoornis), dient men differentiaal diagnostiek een Reactieve hechtingsstoornis - Stoornis met verwaarlozing/mishandeling te overwegen. Deze twee stoornissen krijgen prioriteit boven andere categorieën, zoals Regulatiestoornissen of Traumatische stressstoornissen. Met andere worden, deze twee stoornissen vormen uitzonderingen op de algemene regels die hierboven zijn genoemd.

6 Wanneer een probleem alleen voorkomt in een bepaalde situatie of in de relatie met een specifiek persoon, dient een Aanpassingsstoornis of een Ouder-kind relatiestoornis overwogen te worden. Een kind is bijvoorbeeld gedeprimeerd, maar alléén binnen de setting van kinderopvang, of een kind is erg labiel, maar alléén in aanwezigheid van een specifieke verzorger.

7 Als het probleem alleen betrekking heeft op de relatie en er géén andere symptomen zijn buiten die relatie, dient een Ouder-kind relatiestoornis op As II overwogen te worden.

8 De Reactieve hechtingsstoornis en Stoornis met deprivatie/mishandeling dienen gereserveerd te worden voor gevallen waar duidelijk inadequate basiszorg op lichamelijk, psychologisch en/of emotioneel gebied is vastgesteld. Zorgen over de relatie of gehechtheid kunnen worden weergegeven in de relatie-as of in andere hieraan gerelateerde classificaties.

9 Als er algemene symptomen zoals voedings- en slaapstoornissen zijn, is het noodzakelijk om de onderliggende oorzaak van deze problemen te achterhalen. Deze kunnen op zichzelf staande problemen vormen of onderdeel uitmaken van andere diagnostische categorieën. Voedings- of eetproblemen kunnen bijvoorbeeld volgen na een acuut trauma of een tijdelijke reactie zijn op een verhuizing of een separatie van een ouder (aanpassingsstoornis). Zij kunnen ook gerelateerd zijn aan lichamelijke problemen. Voedings- en eetproblemen kunnen verder onderdeel zijn van een meer chronisch patroon, zoals in Reactieve hechtingsstoornissen, Regulatiestoornis en Multisysteem ontwikkelingsstoornissen.

Slaapstoornissen echter, kunnen een apart probleem vormen, ook al in het eerste levensjaar, zonder bijkomende problemen maar kunnen ook onderdeel zijn van regulatieproblemen.

Soms zal een aantal elementen aanwezig zijn die de diagnose onduidelijk maken. Bijvoorbeeld wanneer gelijktijdig zowel acute stress of traumata worden vastgesteld, als onderliggende constitutionele kwetsbaarheid op sensorisch of motorisch gebied, met daarnaast stoornissen in het affect en de stemming en/of chronische patronen van afwerend en vermijdend gedrag (zoals in Multisysteem ontwikkelingsstoornissen). In die complexe situaties dient beoordeeld te worden welke de meest prominente kenmerken of factoren van invloed zijn en vervolgens bovenstaande richtlijnen volgen.

10 Een kind kan in zeldzame gevallen twee primaire stoornissen hebben (bijv. een Stoornis in slaapgedrag en een Separatieangststoornis (DSM IV) welke in dat geval gecodeerd dienen te worden.

Onderstaande voorbeelden illustreren hoe een primaire diagnose gekozen kan worden.

* Een kind met een onderliggende overgevoeligheid voor aanraking en geluid ontwikkelt zich adequaat, maar raakt getraumatiseerd doordat hij getuige is van een bominslag of een brand (met de daarbij horende sociale ontregeling en wordt teruggetrokken en angstig. Een diagnose uit de categorie Traumatische stressstoornis dient hier eerst overwogen te worden, omdat de onderliggende constitutionele kwetsbaarheid de ontwikkeling niet had doen ontsporen zonder de invloed van een ernstig psychisch trauma. Het teruggetrokken gedrag wordt in dit geval als secundair aan het acute trauma beschouwd.

* Een zeer angstige zuigeling of peuter schrikt iedere keer wanneer hij door een vreemde wordt aangeraakt of bij een onverwacht hard geluid. Maar als het kind wordt onderzocht in een sfeer van rust waarin een veilige werkrelatie opgebouwd kan worden, vertoont hij géén duidelijke symptomen van

sensorische hyperreactiviteit of (sensorische) verwerkingsproblemen. In deze situatie lijken de ogenschijnlijke regulatieproblemen eigenlijk secundair te zijn aan de angsten. Daarom zou hier een Angststoornis de eerste optie zijn.

- Een kind met ernstige communicatie- en relatieproblemen vertoont ook problemen in sensorische reactiviteit, sensorische verwerking en motorische planning. Aangezien zowel Multisysteem ontwikkelingsstoornissen als Regulatiestoornissen constitutionele- en rijpingsstoornissen met elkaar gemeen hebben, zullen de prominente gedragskenmerken van de stoornis, zoals problemen met communicatie en sociale relaties, voorrang krijgen boven de onderliggende constitutionele factoren: de Multisysteem ontwikkelingsstoornis gaat dus voor de Regulatiestoornis.

Gevalsbeschrijvingen achter in dit boekje zullen de onderliggende gedachten verder verduidelijken bij de keuze van een classificatie.

Huidig onderzoek

Preliminaire analyses van reeds verzamelde gegevens laten het volgende zien:
- Er is weinig overlap tussen de nieuwe primaire diagnostische categorieën en die van de DSM-IV.
- De nieuwe diagnostische categorieën dekken de reeks symptomen die worden aangetroffen bij zeer jonge kinderen en differentiëren daartussen.
- De primaire classificaties van ervaren clinici die het DC 0-3-systeem gebruiken komen op betrouwbare wijze overeen.

As I: Primaire diagnose

De primaire diagnose dient de meest prominente kenmerken van de stoornis weer te geven. Richtlijnen voor het kiezen van de juiste classificatie worden in de inleiding vermeld.

100. Traumatische Stressstoornis

De Traumatische stressstoornis beschrijft een continuüm van symptomen, die kinderen kunnen vertonen nadat zij zijn blootgesteld aan één of meerdere traumatische gebeurtenissen, of aan chronische stress of traumatisering. Het kan betrekking hebben op de directe ervaring van het kind met een trauma, alsook op het getuige zijn van of confrontatie met traumatische gebeurtenissen bij naasten.

De aard van de symptomen moet worden beoordeeld in de context van het trauma, van de kindkenmerken, en van de wijze waarop de verzorger in staat is het kind te helpen, in termen van bescherming, veiligheid, en verwerking van de ervaring. In sommige gevallen kunnen de herinneringen veranderen als onderdeel van het verwerkingsproces. Een verandering in het verhaal van een jong kind over het trauma betekent niet perse dat het trauma simpelweg verzonnen was.

Vooral bij ernstige traumata, zoals een levensbedreigende verwonding bij een lid van het gezin, is het belangrijk onmiddellijk de diagnose te stellen en aan het werk te gaan met kind en gezin. De traumatische stressreacties zullen namelijk vaak persisteren wanneer er géén effectieve interventie plaatsvindt.

Bij het stellen van de diagnose traumatische stressstoornis dient men alert te zijn op het bestaan van een traumatiserende gebeurtenis en de onderstaande verschijnselen:

1. Het herbeleven van de traumatische gebeurtenis(sen), zoals blijkt uit tenminste één van de volgende verschijnselen:
   a) Posttraumatisch spel: spel met een compulsief karakter waarin aspecten van het trauma worden uitgedrukt, en dat de angst niet doet verminderen. Het spel is concreter en minder uitgewerkt en fantasierijk dan voorheen. Dit is iets anders dan adaptief spel

waar wel aspecten van het trauma worden uitgedrukt, maar waarbij de andere kenmerken van posttraumatisch spel ontbreken. Voorbeeld: Een peuter die door een hond is gebeten, speelt een scène waarin zij gromt en grauwt en dan plotseling uithaalt. Zij zwijgt erbij en blijft de scène met weinig variatie herhalen. Daar tegenover een voorbeeld van adaptief spel van een peuter, die eveneens is gebeten door een hond en talloze scènes naspeelt met angstaanjagende honden onder verschillende omstandigheden en afloop. De inhoud van het spel wijzigt in het verloop van de tijd.

b) Terugkerende herinneringen aan de traumatische gebeurtenis buiten het spel: herhaalde uitspraken of vragen over de gebeurtenis, die een fascinatie suggereren met de gebeurtenis of een preoccupatie met een bepaald aspect van de gebeurtenis. Angst hoeft niet manifest te zijn. Voorbeeld: Een peuter die door een hond gebeten is, eindeloos praat over honden en zich aangetrokken lijkt te voelen door afbeeldingen ervan in boeken of op televisie.

c) Herhaalde nachtmerries, met name als de inhoud vastgesteld kan worden en duidelijk verband houdt met het trauma.

d) Angst bij blootstelling aan iets dat aan het trauma herinnert.

e) Episodes met objectieve kenmerken van flashback of dissociatie. Dit betekent onder meer dat over de gebeurtenis verteld wordt en dat deze nagespeeld wordt zonder enig besef van waar het mee te maken heeft: het gedrag is gedissocieerd van de intentie of doelbewust handelen van het kind. Voorbeeld: Een kleuter die met poppen speelt rept geen woord over het geluid van een sirene in de straat, maar begint plots een gevecht met de poppen, omdat ze zich de ambulance herinnert die kwam nadat haar ouders ruzie hadden gekregen.

2 Een kind reageert geleidelijk minder op de omgeving of de ontwikkelingsvoortgang raakt verstoord. Dit treedt op na een traumatische gebeurtenis en blijkt uit tenminste één van de volgende verschijnselen:

a) Zich in toenemende mate sociaal terugtrekken.

b) Affectvervlakking.

c) Tijdelijk verlies van eerder ontwikkelde vaardigheden, in het bijzonder zindelijkheid, taal, relaties.

d) Afname van of beperking in spel, vergeleken met het patroon dat het kind vertoonde vóór de traumatische gebeurtenis.
Let op: Beperking in spel sluit posttraumatisch spel niet perse uit.

3 Symptomen van toegenomen waakzaamheid die optreden na een traumatische gebeurtenis, zoals blijkt uit tenminste één van de volgende verschijnselen:

a) Nachtelijke paniekaanvallen waarbij het kind wakker schrikt en gilt, geagiteerd beweegt, niet reageert en ontroostbaar is en tekenen vertoont van verhoogde autonome arousal, zoals versnelde ademhaling, hartkloppingen en transpireren. De episodes treden meestal op in het eerste derde deel van de nacht en duren één tot vijf minuten. De inhoud van de paniek kan niet worden vastgesteld op dat tijdstip of de volgende dag.

b) Moeilijk gaan slapen: met veel protest of problemen met inslapen.

c) Herhaaldelijk 's nachts wakker worden, niet het gevolg van nachtmerries of paniekaanvallen.

d) Aanzienlijke problemen met aandacht en afgenomen concentratie.

e) Verhoogde waakzaamheid.

f) Overdreven schrikreacties.

4. Symptomen, vooral angst of agressie, die er niet waren vóór de traumatische gebeurtenis, met inbegrip van tenminste één van de volgende symptomen:

a) Agressief gedrag dat voorheen niet voorkwam.

b) Scheidingsangst die voorheen niet (meer) voorkwam.

c) Angst om alleen naar de wc te gaan.

d) Angst voor het donker.

e) Andere nieuwe angsten.

f) Negatief of zelfdestructief gedrag, manipulerend en controlerend gedrag of masochistisch provocerend gedrag.

g) Seksuele en agressieve gedragingen, ongepast voor de leeftijd.

h) Andere non-verbale reacties, die ervaren werden ten tijde van het trauma, zoals lichamelijke en/of pijnklachten, het trauma non-verbaal uitbeelden, onecht gedrag, en tenslotte tekenen van traumatisering aan de huid.

i) Andere nieuwe symptomen.

Wanneer een traumatische gebeurtenis heeft plaatsgevonden en bovengenoemde symptomen aanwezig zijn, gaat de traumatische stresssstoornis voor andere primaire classificaties.

200. Affectieve Stoornissen

Deze stoornissen hebben betrekking op de emotionele beleving en gedragsuitingen van zuigelingen en peuters. Inbegrepen zijn: Angststoornissen, Stemmingsstoornissen, Gemengde stoornissen in emotionele expressiviteit, Genderidentiteitsstoornissen bij jonge kinderen en Reactieve hechtingsstoornissen.

Deze categorie heeft betrekking op de ervaringen van het kind en op symptomen die algemeen kenmerk zijn van het functioneren van het kind en niet specifiek zijn voor bepaalde relaties of omstandigheden.

Jonge kinderen met affectieve stoornissen vertonen primair géén ontwikkelingsachterstand of significante afwijkingen op constitutioneel of op ontwikkelingsgebied. Dit in tegenstelling tot de Regulatiestoornissen en de Multisysteem ontwikkelingsstoornissen: Regulatiestoornissen vertonen een duidelijke samenhang met constitutionele en rijpingsfactoren, en Multisysteem stoornissen gaan samen met verschillende ontwikkelingsproblemen.

Affectieve stoornissen gaan vaak gepaard met specifieke relatie- of interactie-patronen tussen kind en verzorger (voor specifieke patronen zie Ouder-kind relatiestoornissen [As II], welke classificaties worden toegepast indien deze interactiepatronen de relatie met de primaire verzorger domineren en kenmerken). Bij de Affectieve stoornissen moeten de interactieproblemen, ook wanneer deze deels inherent zijn aan een bepaalde relatie of context, niet uitsluitend voorkomen in het kader van die relatie of context doch samenhangen met algemene affectieve- en gedragsproblemen bij het kind.

Wanneer men een affectieve stoornis overweegt, dient onderzocht te worden of de symptomen een algemeen kenmerk vormen van het functioneren van het kind of specifiek zijn voor een situatie of relatie. Het is belangrijk te onthouden dat relatie- of interactiepatronen zelden uni-dimensioneel zijn. De omgang tussen ouders, verzorgers en kinderen verloopt in samenhang met vele verschillende factoren. Soms is een competente verzorger niet in staat goed om te gaan met bepaalde gedrag of temperament kenmerken van het jonge kind, zoals bijvoorbeeld de zelfbepalendheid of afhankelijkheid, of prikkelbaarheid van het kind. De relatie tussen ouder en kind kan onder druk komen te staan in bepaalde ontwikkelingsfases wanneer specifieke behoeftes bevredigd, of ontwikkelingstaken volbracht moeten worden. In sommige relaties tussen verzorger en kind kunnen disfunctionele patronen de overhand krijgen. Bijvoorbeeld: onder- of overbescherming of -stimulatie, verkeerde perceptie of interpretatie van de signalen van het kind of van het functioneel emotioneel ontwikkelingsniveau, gebrek aan empathie, ontwijkende of te weinig selectieve interactiepatronen, enzovoort.. Wanneer deze patronen aanhouden kunnen zij het functioneren van het kind verstoren, zelfs los van de betreffende relatie.

De classificatie affectieve stoornis is wel aan de orde wanneer een probleem (zoals angst), dat eerst kenmerkend was voor een bepaalde relatie, het functioneren van het kind ook verstoort onder andere omstandigheden en met andere personen.

201. Angststoornissen op Zuigelingenleeftijd of Vroege Kinderjaren

De classificatie angststoornis moet gebaseerd zijn op het evident aanwezig zijn van buitensporig angstige of bezorgde reacties bij een zuigeling of peuter, in situaties die normaal bij het ontwikkelingsniveau horen. Dit manifesteert zich op de volgende manieren:

1 Meerder of specifieke angsten.
2 Excessieve separatieangst of angst voor vreemden.
3 Episoden van excessieve angst of paniek zonder duidelijke aanleiding.
4 Excessieve inhibitie of gedragsbeperking door angst (bij ernstige beperking zonder aanwijsbare angst, rekening houden met stoornissen in de emotionele expressie [zie 204], zoals verder beschreven).
5 Forse angst, gepaard met gebrekkige ontwikkeling van basale ego-functies, welke zich gewoonlijk op 2- 4-jarige leeftijd ontwikkelen. Deze functies

omvatten: de impulscontrole, de stabilisering van stemmingsregulatie, de realiteitstoetsing en de ontwikkeling van een coherent zelfgevoel.

6 Agitatie bij de zuigeling, onbeheersbaar huilen of schreeuwen, slaap- en eetstoornissen, roekeloos gedrag en andere gedragsuitingen van angst. Om als stoornis te worden geclassificeerd dient de angst of bezorgdheid tenminste twee weken te bestaan en te interfereren met het normale functioneren (bijvoorbeeld sociale relaties, spel, spraak, slaap, eten, etc...). Als de classificatie angststoornis wordt overwogen dienen bovengenoemde symptomen beoordeeld te worden in relatie tot het ontwikkelingsniveau van het kind. Bijvoorbeeld: een kind met een cognitieve achterstand, op het ontwikkelingsniveau waarbij angst voor vreemden verwacht mag worden, voldoet niet aan de criteria. Een kind met ontwikkelingsachterstand zou de classificatie angststoornis kunnen krijgen als de angst niet conform het ontwikkelingsniveau is.

Bij het coderen van de classificatie angststoornis worden de volgende richtlijnen in acht genomen:
• Wanneer bekende trauma's aanwezig zijn en het kind na het trauma moeilijkheden gaat vertonen, gaat de traumatische stressstoornis voor.
• Angststoornissen kunnen niet worden geclassificeerd naast Multisysteem ontwikkelingsstoornissen: deze laatste classificatie gaat voor.
• Bij duidelijke problemen in de sensorische reactiviteit, receptieve taal, auditieve verwerking, visueel-ruimtelijke verwerking of problemen in de motorische planning gaan de regulatiestoornissen voor.
• Indien de angst of bezorgdheid van het kind uitsluitend optreedt in de context van een bepaalde relatie dient een relatiestoornis overwogen te worden.

202. Stemmingsstoornis

Verlengde Rouw/Depressieve Reactie
Deze categorie is gebaseerd op het gegeven dat verlies van een primaire verzorger vrijwel altijd een ernstig probleem is voor een zuigeling of peuter. De meeste jonge kinderen beschikken niet over de nodige emotionele en cognitieve capaciteiten om een dergelijk groot verlies te verwerken. Wanneer de achterblijvende verzorger ook in rouw is en emotioneel niet beschikbaar is, kunnen de symptomen hierdoor verder verergeren. Men dient alles in het werk te stellen om verzorgers te vinden, die fysiek en emotioneel beschikbaar zijn voor het rouwende kind. Alle uitingen van verdriet dienen zorgvuldig te worden gevolgd en behandeld, ook wanneer de symptomen van voorbijgaande aard zijn.
Deze stoornis kan zich manifesteren in elke vorm van protest, wanhoop en onthechting. De symptomen kunnen zijn:

1 Huilen, roepen en zoeken van de afwezige ouder, en afwijzen van troost door anderen.

2 Zich emotioneel terugtrekken, lethargische, verdrietige gelaatsuitdrukking en gebrek aan interesse voor leeftijdsgebonden activiteiten.

3 Verstoringen in eet- en slaapgedrag.
4 Regressie of verlies van eerder bereikte ontwikkelingsmijlpalen (bijvoorbeeld weer in bed plassen of gebruik van babytaal).
5 Beperkte affectieve uitingen.
6 Teruggetrokken gedrag, zoals schijnbare onverschilligheid tegenover herinneringen aan de verzorger, zoals een foto of het horen van de naam, of selectief "vergeten" en niet herkennen hiervan.
7 Extreme gevoeligheid voor herinneringen aan de afwezige verzorger: acuut verdriet als iets van de gemiste door iemand anders wordt aangehaald. Deze herinneringen of voorwerpen kunnen ook bron van troost of blijde herinneringen zijn, omdat het jonge kind nog géén besef heeft van het definitieve karakter van het verlies. Ook komen zeer emotionele reactie voor op alles wat met scheiding en verlies heeft te maken zoals bijvoorbeeld weigering om verstoppertje te spelen of in huilen uit barsten als iets in huis niet meer op zijn plaats ligt.

De aard van de symptomen helpt te differentiëren van de traumatische stressstoornis: bij verlengde rouw/depressieve reactie is de neiging tot depressie en apathie groter, bij traumatische stressstoornis bestaat een grotere neiging tot angstige herbeleving en compulsieve patronen.

203. Stemmingsstoornis

Depressiviteit op Zuigelingenleeftijd of Vroege Kinderleeftijd
Deze categorie heeft betrekking op zeer jonge kinderen met een patroon van gedrukte stemming of prikkelbaarheid met verminderde interesse en/of plezier in ontwikkelingsgebonden activiteiten, verminderde capaciteit om te protesteren, excessief jengelen en verminderde sociale interacties en initiatief. Deze symptomen kunnen samen gaan met slaap- of eetstoornissen en gewichtsverlies.
De symptomen dienen minstens twee weken te bestaan.
Indien de symptomen worden gezien bij aanzienlijke deprivatie, wordt dit aangetekend en dient een reactieve hechtingsstoornis/mishandeling te worden overwogen, met name als het gemis ernstig is. Bij milde symptomen optredend tijdens een periode waarin nieuwe aanpassing vereist is (bijv. een ouder die weer gaat werken), komt een aanpassingsstoornis in aanmerking. Indien géén van deze factoren aanwezig is wordt depressiviteit overwogen als primaire stoornis.

204. Gemengde Stoornis in Emotionele Expressiviteit

Deze categorie is bedoeld voor zuigelingen en jonge kinderen met een stoornis in het uiten van ontwikkelingsadequate emoties. Deze stoornis wordt beschouwd als een probleem in de ontwikkeling en de ervaring van affecten/emoties. Dit kan zich als volgt manifesteren:

Hogeschool van Amsterdam

Bibliotheek Wibautstraat

UITLEENBON

Lener : 9528051220011381679 Abdel
Tawab, S.
Datum : 01/12/2016 13:48:40
Nog te betalen: 0,00

Object : HV054214 DC, 0-3
Retour : 02/01/2017

Object : HV097450 DC
Retour : 02/01/2017

1   Geheel of bijna geheel ontbreken van een of meer typen affectuitingen behorend bij het ontwikkelingsniveau, zoals: plezier, onvrede, blijdschap, boosheid, vrees, nieuwsgierigheid, schaamte, verdriet, opwinding, jaloezie, empathie, trots, etc... Inbegrepen zijn hier de afwezigheid van vrees, angsten en zorgen passend die bij het ontwikkelingsniveau passen en een adaptieve of beschermende functie hebben, bijvoorbeeld, affecten die als signaalangst dienen voor separatie. Belangrijk is te weten dat sommige kinderen deze angsten wel ervaren maar niet rechtstreeks uiten; zij komen eerder te agressief, rusteloos of te onafhankelijk over.

2   Een scala aan emotionele uitingen dat te beperkt is op grond van de verwachting voor het ontwikkelingsniveau. Uitgesproken emotionele remming of beperkt modulerend affect worden soms gezien. Soms kan beperking in de emotionele expressiviteit zich uiten in een beperkt gedragsrepertoire. Bijvoorbeeld, een kind met persisterende en forse vermijding bij wie de geldings- en exploratiedrang ontbreken; of een kind met een chronisch negatieve en oppositionele instelling dat niet in staat is tot samenwerking.

3   Stoornis in de intensiteit van emoties niet passend bij het ontwikkelingsniveau. Zoals buitensporige intensiteit, vaak gepaard met een slechte affectmodulatie, of vervlakking en apathie.

4   Omkering van affect of inadequaat affect, bijvoorbeeld: lachen bij angst of verdriet.

Exclusiecriteria zijn de aanwezigheid van de diagnose angststoornis of depressiviteit. De classificatie kan van toepassing zijn op kinderen met ontwikkelingsachterstand, echter alleen indien de stoornis in emotionele expressiviteit niet overeenkomt met het ontwikkelingsniveau van het kind.

205. Genderidentiteitsstoornis

Genderidentiteitsstoornis (GIS) bij jonge kinderen is een specifieke stoornis in de ervaring van het eigen geslacht. De stoornis wordt manifest tijdens de sensitieve periode in de ontwikkeling van de geslachtsidentiteit (ongeveer tussen 2 en 4 jaar), wanneer het kind voor het eerst leert zichzelf en anderen in te delen naar geslacht. Kinderen met een genderidentiteitsstoornis hebben een diepgaand en pervasief gevoel van onbehaaglijkheid, onrust en/of ongepastheid met betrekking tot het eigen geslacht. Dit onbehagen is even sterk als het verlangen om tot het andere geslacht te behoren, hetgéén zich manifesteert in spel, fantasie, keuze van activiteiten, vriendjes en kleding, al naar gelang het ontwikkelingsniveau van het kind.

Onderstaande criteria komen overeen met de DSM-IV-criteria. Ze worden hier genoemd omdat GIS een nieuwe categorie is in beide systemen. De uiteenzetting die volgt bevat een beschrijving van de diverse soorten gedrag en attitudes, die te observeren zijn bij hele jonge kinderen met deze stoornissen. De criteria zijn als volgt:

1 Een sterke en persisterende conflictvolle genderidentificatie (niet alleen een verlangen naar vermeende voordelen verbonden aan het andere geslacht), gekenmerkt door het voorkomen van tenminste vier van de volgende punten:
   a. Herhaaldelijk geuite wens tot het andere geslacht te behoren of het hardnekkig volhouden, dat hij of zij tot het andere geslacht behoort.
   b. Bij jongens: het zich willen kleden als een meisje; bij meisjes: het zich willen kleden als een jongen.
   c. Bij spelletjes de andere sekse willen zijn; zich steeds inbeelden dat hij of zij van het andere geslacht is.
   d. Een intens verlangen te willen deelnemen aan spelletjes en vrije tijd activiteiten van het andere geslacht.
   e. Een sterke voorkeur voor vriendjes van het andere geslacht.
2 Een persisterende ontevredenheid met het eigen geslacht of een gevoel van onbehagen in die genderrol, gekenmerkt door het volgende:
   a. Bij jongens, het gevoel dat de penis of de zaadballen vies zijn, of vanzelf zullen verdwijnen, of de overtuiging dat het beter zou zijn géén penis te hebben, of een uitgesproken afkeer van speelgoed, spelletjes en activiteiten dat stereotiep is voor jongens, samen met het gevoel géén jongen te willen zijn.
   b. Bij meisjes: afkeer van plassen in zittende houding, of vastberadenheid om later géén borsten en andere vrouwelijke kenmerken te ontwikkelen, of uitgesproken afkeer voor typisch vrouwelijke kleding, samen met het gevoel géén meisje te willen zijn.
   c. Afwezigheid van een somatische stoornis, bijvoorbeeld hermafrodisme.

Tijdens de ontwikkeling van de geslachtsidentiteit wordt veel normale variatie gezien. Belangrijk is dat GIS wordt onderscheiden van de volgende normale variaties en van andere stoornissen, warmee overeenkomsten zijn.
1 Normale variaties binnen de ontwikkeling
   Voor een 2 à 3 jarige is het niet afwijkend om zich te verkleden en te doen alsof het van het andere geslacht is. Kinderen experimenteren met de rollen van onder meer moeder, vader, een broertje of zusje, de baby en ook het huisdier. Men spreekt van een afwijkend patroon wanneer het spel een compulsief karakter krijgt, zelfs op 2-jarige leeftijd.
2 Niet stereotiepe ontwikkeling
   Kinderen kunnen interesses hebben welke meer typisch gezien worden bij het andere geslacht en daarnaast een stevig en positief gevoel hebben over de eigen geslachtsrol. Dergelijke uitingen gaan niet gepaard met een gevoel van onbehagen over het eigen geslacht.
3 Jongensachtig gedrag
   GIS bij meisjes is iets anders dan jongensachtig gedrag. Meisjes die in hun gedrag en voorkeuren jongensachtig overkomen hebben meestal géén moeite met het feit dat ze meisjes zijn. Wanneer zij daar wel duidelijk problemen mee hebben, zijn er waarschijnlijk wel problemen met de genderidentiteit.

4   Het verlangen tot beide geslachten te behoren
Vóór de leeftijd van ongeveer 2 ½ tot 3 ½ jaar, wanneer kinderen leren mensen in te delen naar geslacht, ervaren veel kinderen zichzelf als almachtig en in staat alles te zijn, vrouw en man. Bijvoorbeeld: jongetjes denken dat ze een baby, en meisjes een penis kunnen krijgen, en toch een jongen, respectievelijk, een meisje kunnen blijven. Het opgeven van dergelijke illusies kan moeizaam verlopen. Sommige peuters, met een zeer laag zelfgevoel, kunnen juist in deze periode zichtbaar moeilijkheden krijgen, en bijvoorbeeld woede en afgunst uiten jegens een ouder, broer of zus die hen die illusie zou hebben ontnomen. Het vorige komt niet overeen met GIS, waar het kind tot één, namelijk het andere geslacht wil behoren, niet tot beide.

5   Kinderen met interseks symptomen
Echte interseks symptomen zijn ondermeer hypospadie of een micro penis bij jongens of een vergrote clitoris bij meisjes. Deze afwijkingen leiden weliswaar tot verwarring over het geslacht doch zelden tot GIS.

Boven beschreven genderidentiteitsstoornissen zijn pervasief, hardnekkig en langdurig. Een betrouwbare diagnose kan worden gesteld door middel van observaties, ouderanamnese, psychologisch en psychiatrisch onderzoek, al naar gelang de leeftijd en de toegankelijkheid van het kind. Jongetjes met GIS kunnen de wens om een meisje te zijn verbaal of non-verbaal uiten door voortdurende fantasieën, verkleedpartijen en intense belangstelling voor stereotiep vrouwelijke attributen, soms al vanaf de leeftijd van ongeveer 1½ tot 2 jaar. Op latere leeftijd zullen zij zich vaak meer richten op hun geslachtsdelen en deze afwijzen, met soms gedragsmatige gevolgen zoals weigering staande te plassen. Meisjes met GIS voelen een intense afkeer voor het meisje zijn. De moeite met de eigen genderrol gaat dan gepaard met hevige emoties en/of stressreacties.

Jongens met GIS worden vaak als verlegen en geremd beschreven, vooral in nieuwe- en overgangssituaties. De meeste zijn onzeker, soms komen zij sensitief en kwetsbaar over. Er is veel minder bekend over de mogelijke constitutionele aanleg van meisjes met GIS. Zij worden als meer vrijpostig en actief beschreven. Ondanks de meer extroverte habitus, is de klinische indruk dat het angstniveau even hoog ligt als bij jongens, maar dat dit anders wordt geuit/afgeweerd.

Bij jongens is vaak sprake van separatieangst; de meeste van hen zijn bang voor lichamelijk letsel en de meerderheid vertoont depressiesymptomen. Bij meisjes en jongens met GIS komen gedragsstoornissen niet vaker voor dan bij andere aangemelde kinderen.

De ervaring leert dat wanneer de stoornis aan het licht komt, ouders het crossgender gedrag vaak niet ontmoedigen.

In de voorgeschiedenis van jongens en meisjes met GIS komen regelmatig duidelijke trauma's voor in het gezin gedurende de eerste levensjaren, of ernstige chronische huwelijks problemen bij ouders. Niet zelden is er een voorgeschiedenis van depressiviteit en angst bij de moeder en middelenmisbruik, angst of depressiviteit bij de vader.

206. Reactieve Hechtingsstoornis

Stoornis van Deprivatie/Mishandeling bij Zuigelingen en Jonge Kinderen
Deze stoornis treedt op in de context van ernstige deprivatie of mishandeling die zich als volgt manifesteert:
1 Aanhoudende verwaarlozing of mishandeling, fysiek of psychologisch, door de verzorgers, van dusdanige intensiteit en duur, dat het basisgevoel van veiligheid en genegenheid wordt ondermijnd.
2 Veelvuldige verandering of inconsistente aanwezigheid van de primaire verzorger, waardoor het kind zich onmogelijk kan hechten aan een individuele verzorger.
3 Andere langdurige omgevingsgebonden situaties, buiten de invloed van ouder en kind, die interfereren met een adequate zorg voor het kind en een stabiele hechting verhinderen.

Zonder de aanwezigheid van sterk beschermende factoren (zoals bijna dagelijks bezoek van de ouders, dagelijkse aanwezigheid van een vaste volwassene), ontberen zuigelingen en jonge kinderen waarschijnlijk de voor hun ontwikkeling noodzakelijke emotionele zorg tijdens langdurige hospitalisatie, wanneer de verzorging door vele en steeds wisselende personen gebeurt of wanneer ouders niet beschikbaar zijn zoals bij ernstige depressie of middelenmisbruik. Een kind met een Reactieve hechtingsstoornis is gewoonlijk slecht in staat om sociale interacties te initiëren of vertoont ambivalente of tegengestelde sociale reacties: zoals, reacties van toenadering en vermijding jegens verzorgers en anderen, of extreme waakzaamheid, excessief geremde of apathische reacties in sociale interacties. Ook kan het aangaan van relaties door het kind niet leeftijdsadequaat verlopen met een gebrek aan sociale selectiviteit en in de keuze van hechtingsfiguren, bijvoorbeeld te vrijpostig ten opzichte van vreemden. Niet alle kinderen die verwaarloosd of mishandeld zijn zullen bovengenoemde symptomen vertonen. Enige remissie in de symptomen wordt meestal gezien wanneer er verbetering komt in de zorg vanuit de omgeving.
Deze stoornis komt nauw overeen met de Reactieve hechtingsstoornissen op zuigelingenleeftijd of vroege kinderjaren zoals beschreven in de DSM IV.

Alvorens deze diagnose te stellen dienen andere, verwante diagnoses te worden overwogen. Sommige problemen bij verzorgers die een effect hebben op het kind, zoals overbescherming en overmatige angst, worden gecodeerd met een Relatieclassificatie op As II, waar stoornissen in de kwaliteit van de relatie tussen ouder en kind worden genoteerd. Als de symptomen van tijdelijke aard zijn of een reactie op ernstige stress, dienen Aanpassingsstoornissen of Traumatische stressstoornissen overwogen te worden.

De stoornis kan ook gepaard gaan met groeistoornissen (die ook extra onder AS III moeten worden ingedeeld.) De diagnose is moeilijk te stellen bij ernstige retardatie of bij pervasieve ontwikkelingsstoornissen en Multisysteem ontwikkelingsstoornissen. Het classificatieprofiel van kinderen met Hechtingsstoornissen - Stoornis met deprivatie/mishandeling kan worden aangevuld met de informatie uit As II: Ouder-kind relatie stoornissen.

300. Aanpassingsstoonis

De classificatie Aanpassingstoornis wordt overwogen bij milde, voorbijgaande symptomen die situatiegebonden zijn en niet eerder zijn toe te schrijven aan een andere stoornis. Het begin van de problemen moet gerelateerd zijn aan een duidelijke gebeurtenis of verandering in de omgeving, zoals bijvoorbeeld een moeder die weer gaat werken, verhuizing, verandering in dagopvang, of ziekte. Als gevolg van de ontwikkelingsleeftijd van het kind, de constitutionele kenmerken en de gezinsomstandigheden vertoont de baby of peuter een tijdelijke reactie, die dagen of weken kan duren, maar niet langer dan vier maanden. Voor deze classificatie moeten zowel duidelijke omgevingsfactoren als de voorbijgaande aard van de symptomen vastgesteld kunnen worden.
Het kind kan affectieve symptomen vertonen (bijvoorbeeld; het is teneergeslagen, mat of teruggetrokken), of gedragssymptomen (bijvoorbeeld het is opstandig, wil niet naar bed, heeft regelmatig driftbuien of vertoont regressief gedrag.)
De hier beschreven stoornis komt overeen met de DSM IV, maar in termen die specifieker aansluiten bij jonge kinderen. De tijdsgrens van vier maanden past bij de relatief snelle ontwikkeling van kinderen tot drie à vier jaar.
Zowel de relatie met een duidelijke gebeurtenis in de omgeving als de tijdelijke aard van de symptomen zijn essentieel voor deze classificatie. Deze geldt niet wanneer de symptomen hun oorsprong hebben in langdurige omgevingsfactoren of in de langdurige wisselwerking tussen constitutionele en omgevingsfactoren of wanneer een ernstig trauma aanwezig is: in die gevallen dienen Angst-, Stemmingsstoornissen en Ouder-kind relatiestoornissen, Regulatiestoornissen of Traumatische stressstoornissen overwogen te worden.

400. Regulatiestoornissen

Regulatiestoornissen manifesteren zich voor het eerst bij zuigelingen en peuters. Kenmerkend voor deze stoornissen zijn de problemen met de regulatie van gedrag, van aandacht en van processen van fysiologische, sensorische, motorische, en emotionele aard, en verder problemen met het bereiken van een kalme, alerte of emotioneel positieve toestand. De hieronder voorgestelde classificatie onderscheidt vier typen regulatiestoornissen. De operationele definitie veronderstelt voor elk type een afzonderlijk gedragspatroon, gekoppeld aan problemen met de verwerking en regulatie van fysiologische, sensorische, motorische of affectieve processen, welke invloed hebben op de dagelijkse adaptatie en het functioneren van het kind.

Slecht gereguleerde reacties manifesteren zich op de volgende gebieden:
1 Fysiologisch repertoire (zoals onregelmatige ademhaling, schrikreacties, hikken, kokhalzen).
2 Grof motorische activiteit (zoals motorische desorganisatie, niet vloeiende bewegingen, voortdurend bewegen).
3 Fijn motorische activiteit (zoals weinig gedifferentieerde of spaarzame en slappe bewegingen).
4 Aandacht (zoals druk gedrag, niet ergens bij stil kunnen staan of juist perseveraties ten aanzien van een klein detail).
5 Organisatie van affecten ten aanzien van:
   - De overheersende affectieve toon (bijvoorbeeld mat, gedeprimeerd of blij)
   - Het affectieve bereik (groot of beperkt) en de modulatie (zoals: plotselinge overgang van volledige kalmte naar extreem gekrijs).
   - Het vermogen affecten te uiten en te reguleren in de interactie met anderen (zoals: vermijdend, negativistisch of aanklampend en claimend).
6 Gedragsregulatie (zoals agressief of impulsief gedrag).
7 Slaap-, eet- of eliminatiepatronen.
8 Taal (receptief en expressief) en cognitieve problemen.

Regulatiestoornissen bij baby's en peuters kunnen zich manifesteren als slaap- of eetproblemen, spraak-taal ontwikkelingsproblemen, angsten, gedrags- en sociale problemen. Er kunnen klachten zijn van: prikkelbaarheid, snel doorschieten in reacties en een moeilijke aanpassing aan veranderingen. In de dagelijkse routine van het verzorgen krijgt de zuigeling of peuter continu sensorische, motorische en affectieve prikkels te verwerken. Een omgeving die onvoldoende inspeelt op de individuele verschillen en/of waar te veel instabiliteit heerst kan een sterke uitwerking hebben op jonge kinderen met regulatiestoornissen, en indirect ook op hun verzorgers.
Nogal wat aandachtsproblemen, maar ook motorische, sensorische en taalproblemen en problemen met de gedragsregulatie kunnen, bij sommige kinderen, onderdeel zijn van een regulatiestoornis en dienen dan niet als losstaande problemen beschouwd te worden. Termen zoals "overgevoelig", "moeilijk temperament", "hyperactief" of "heel reactief", verwijzen weliswaar naar een constitutionele of biologische basis, echter zonder vermelding van de bijbehorende sensorische of motorische functies. Er zijn steeds meer aanwijzingen dat constitutionele en vroege neurobiologische rijpingsstoornissen bijdragen aan de problemen van deze kinderen. Daarnaast wordt erkend dat kenmerken van verzorgers in de eerste jaren van grote invloed kunnen zijn op de wijze waarop constitutionele en rijpingsfactoren gereguleerd worden en zich ontwikkelen en gaandeweg onderdeel worden van de zich ontwikkelende persoonlijkheid. Daar de belangstelling voor deze kinderen toeneemt, is een systematische beschrijving nodig van de sensorische, motorische en integratie patronen die naar verwachting een rol spelen.

De classificatie regulatiestoornis omvat een afzonderlijk gedragspatroon gekoppeld aan problemen met de verwerking, regulatie of organisatie van sensorische of sensomotorische prikkels. Als beide kenmerken niet aanwezig zijn, valt een andere diagnose te overwegen. Bijvoorbeeld: een kind, dat geprikkeld en teruggetrokken reageert na verlating, zou na verwachting een Ouder-kind relatiestoornis of Hechtingsstoornis kunnen vertonen. Bij een kind dat prikkelbaar is en overmatig reageert op gewone interacties in afwezigheid van duidelijk aantoonbare verwerkingsprobleem op sensorisch, sensomotorisch gebied, kan bijvoorbeeld een Angst- of Stemmingsstoornis overwogen worden. Slaap- of eetproblemen kunnen onderdeel zijn van een regulatiestoornis of op zichzelf staande diagnostische categorieën vormen.

Voorwaarde: om bij een zuigeling of peuter de diagnose regulatiestoornis te kunnen stellen dient men een sensorisch of, sensomotorisch verwerkingsprobleem uit onderstaande lijst vast te stellen, gekoppeld aan een of meer gedragssymptomen:

1 Hypo- of hyperreactiviteit te aanzien van luide, hoog- of laagfrequente geluiden.
2 Bovenmatige of onvoldoende reactie op fel licht of nieuwe en opvallende visuele prikkels zoals kleuren, vormen en complexe beelden.
3 Tactiele afweer (zoals overmatig reageren bij het aankleden of wassen; het aanraken van armen, benen, lichaam; vermijden van het contact met "vieze" texturen zoals klei) en/of orale hypersensitiviteit (zoals vermijden van voedsel met een bepaalde consistentie).
4 Oraal-motorische problemen of coördinatieproblemen door een gebrekkige spiertonus, motorische planningsproblemen en/of orale hypersensitiviteit.
5 Verminderde reactie op aanraking of pijnprikkels.
6 Hypo- of hyperreactiviteit bij een kind met normale balans (zoals evenwichtsreacties) op sensaties die optreden bij plotselinge horizontale of verticale bewegingen (zoals in de lucht houden, rondzwaaien of springen).
7 Hyper- of hyporeactiviteit ten aanzien van geuren.
8 Hyper of hyporeactiviteit t.a.v. temperatuur.
9 Zwakke spiertonus en spierstabiliteit zoals hypo-, hypertonie, houdingsfixatie of het ontbreken van vloeiende bewegingskwaliteit.
10 Kwalitatieve tekorten in motorische planningsvaardigheden (zoals problemen met de organisatie van de opeenvolgende handbewegingen die nodig zijn om een nieuw of complex voorwerp te exploreren of om op een klimrekje te klimmen).
11 Kwalitatieve tekorten in de modulatie van motorische activiteiten (niet secundair aan angst of interactieproblemen).
12 Kwalitatieve tekorten in de fijne motoriek.
13 Kwalitatieve tekorten in de verbaal-auditieve verwerking.
14 Kwalitatieve tekorten in de fonologie (voor een 8-maanden oud kind: moeite met imitatie van afzonderlijke geluiden; voor een 3-jarig kind: moeite met het vinden van woorden om een voorgenomen of reeds uitgevoerde handeling te beschrijven).

15 Kwalitatieve tekorten in de visueel-ruimtelijke informatiewerking (voor een 8-maanden oud kind: moeite met herkennen van verschillende gelaatsconfiguraties, voor een 2 ½ jarige: moeite met vinden van de weg in vertrouwd huis, voor een 3 ½ jarige: moeite met benutten van visueel-ruimtelijke aanwijzingen om verschillende vormen te herkennen en te rangschikken).

16 Kwalitatieve tekorten in het vermogen de aandacht te richten en vast te houden, en niet het gevolg van angst, interactieproblemen of duidelijke verbaal/auditieve of visueel-ruimtelijke verwerkingsproblemen.

Typen regulatiestoornissen

De hieronder beschreven vier types regulatiestoornissen zijn gebaseerd op de hoofdkenmerken bij het kind, inclusief gedragspatronen, emotionele tendensen alsook motorische en sensorische patronen. Naast de eerste drie classificaties voor specifieke typen stoornissen is er een restgroep voor regulatiestoornissen die hier niet aan voldoet. Bij de eerste drie typen regulatiestoornissen wordt vermeld welke opvoedingspatronen de regulatiecapaciteiten van het kind bevorderen dan wel ondermijnen.

400. Type I: Hypersensitief

Hypersensitieve/hyperreactieve zuigelingen en peuters worden onderverdeeld in twee subtypes: (1) bang en voorzichtig en (2) negatief en dwars. Er kunnen inconsistenties zijn in de hypersensitiviteit en deze kan variëren gedurende de dag. Meestal is er sprake van een cumulatief effect waardoor het kind meer problemen krijgt aan het einde van de dag terwijl de prikkels aanvankelijk niet storend leken. Verder is er een wisselwerking tussen de respons op de sensorische prikkels en het basale arousal niveau: bij stress of moeheid, is er minder voor nodig om een hypersensitieve reactie uit te lokken.

Bang en Voorzichtig

Gedragspatronen: excessieve voorzichtigheid, geremdheid en/of angst.

Bij baby's gekenmerkt door beperkte exploratie of onzeker gedrag, afkeer van veranderingen in routine en neiging angstig en aanklampend te reageren in nieuwe situaties.

Bij peuters gekenmerkt door excessieve angst en/of bezorgdheid en verlegenheid in nieuwe situaties zoals het aangaan van relaties met leeftijdsgenoten of onbekende volwassenen. Het kind heeft mogelijk een slecht geïntegreerde innerlijke voorstellingswereld en is snel afgeleid. Soms gedraagt het kind zich impulsief bij overbelasting en/of angst. Het kind is snel overstuur, kalmeert niet goed uit zichzelf (bijvoorbeeld moeite om weer in te slapen) en herstelt niet snel van frustraties of teleurstelling.

Motorische en sensorische patronen: overreactie bij aanraking, harde geluiden of fel licht. Vaak goede verbaal-auditieve verwerkingscapaciteiten, maar slechtere visueel-ruimtelijke verwerkingscapaciteiten. Er kan verder sprake zijn van hypergevoeligheid voor beweging in de ruimte en van motorische planningsproblemen.

Opvoedingspatronen: de flexibiliteit en de zelfverzekerdheid van deze kinderen nemen toe door een empathische houding, met name ten aanzien van de sensorische en emotionele ervaring van het kind. Zeer graduele en steunende aanmoedigingen bevorderen de exploratie. Grenzen dienen vriendelijk doch duidelijk te worden gesteld.
Inconsistente verzorgingspatronen verhogen de problemen bij het kind, zoals afwisselend zeer toegeeflijk en overbeschermend, dan wel bestraffend en/of intrusief gedrag.

Negatief en dwars

Gedragspatronen: negatief, koppig, controlerend en dwars. Het kind doet vaak het tegenovergestelde van wat gevraagd en verwacht wordt. Moeite met overgangen en voorkeur voor herhaling, uitblijven van verandering of hoogstens zeer geleidelijke veranderingen.
Bij baby's gekenmerkt door de neiging negatief en afwijzend te reageren, en weerstand tegen overgangen en veranderingen.
Bij peuters gekenmerkt door negatief, boos en dwars reageren en dwangmatig en perfectionistisch gedrag. Zij kunnen echter van tijd tot tijd ook zeer vrolijk en flexibel zijn.
In tegenstelling tot bij het angstige en voorzichtige kind is er bij dit patroon niet zozeer sprake van slechte integratie maar ontwikkelt het kind een geïntegreerd zelfgevoel rondom negatieve, afwijzende patronen. In tegenstelling tot het gedesorganiseerde, impulsieve kind (Type III, hieronder) is het negatieve en dwarse kind meer controlerend, met de neiging nieuwe ervaringen te vermijden of slechts vertraagd aan te gaan, en is het doorgaans niet agressief tenzij het geprovoceerd wordt.

Motorische en sensorische patronen: overmatige reactie op aanraken, zoals kan worden vastgesteld tijdens het spelen: bepaalde substanties of aanraking van sommige materialen met de vingers worden door het kind vermeden. Meestal overmatige reactie op geluid. Vaak goede tot zeer goede visueel-ruimtelijke vaardigheden, tegenover minder goede auditieve verwerking. Vaak goede spiertonus en houdingscontrole, maar moeite met fijn-motorische coördinatie en/of motorische planning.

Opvoedingspatronen: de flexibiliteit neemt toe door rustgevende en empathische ondersteuning tijdens langzame, graduele veranderingen, alsook door vermijding van machtsstrijd. Warme betrokkenheid, ook als het kind negatief

of afwijzend is, en stimulering van de symbolisatie, met name van emoties zoals afhankelijkheid, woede en ergernis, verhogen de flexibiliteit.
Daarentegen wordt negatief en afwijzend gedrag versterkt door attitudes van verzorgers die intrusief, te veeleisend, overstimulerend of bestraffend zijn.

401. Type II: Hyporeactief

Hyporeactieve zuigelingen en peuters worden onderverdeeld in twee subtypes: (1) teruggetrokken en moeilijk te betrekken en (2) in zichzelf gekeerd.

Teruggetrokken en moeilijk te benaderen

Gedragspatronen: lijkt niet geïnteresseerd in relaties, beperkte exploratie van spel en materiaal. Lijkt apathisch, snel vermoeid en teruggetrokken. Een sterke en opvallende affectieve lading is nodig om aandacht, belangstelling en emotionele betrokkenheid te wekken.
Bij baby's kan het gedrag traag of depressief overkomen, met gebrek aan motorische exploratie en reactie op sensorische en sociale prikkels.
Bij peuters bovendien geringe spraakzaamheid. Het gedrag en spel tonen een beperkt repertoire aan ideeën en fantasieën. Soms autostimulerend gedrag waarbij repetitieve sensorische activiteiten worden gezien, zoals draaien, wiegen of springen. De intensiteit of herhaling dient dan om de ervaring te intensiveren.

Motorische en sensorische patronen: hyporeactief ten aanzien van geluiden en beweging in de ruimte, samengaand met hyper- of hyporeactiviteit ten aanzien van aanraking. Kinderen met deze kenmerken beschikken soms over intacte visueel-ruimtelijke verwerkingscapaciteiten, maar hebben vaak auditief-verbale verwerkingsproblemen. Een zwakke motorische kwaliteit en motorische planning worden vaak waargenomen, alsmede beperkt exploratiegedrag en beperkte flexibiliteit in spel.

Opvoedingspatronen: een intensieve interactiestijl en het stimuleren van initiatief zijn nodig om het kind te prikkelen tot betrokkenheid, interactie en exploratie. Een krachtige en betrokken respons is verder nodig, ook op zwakke signalen van het kind.
Een opvoedingsstijl daarentegen, waarbij een afwachtende of bedrukte depressieve toon prevaleert kan de terughoudendheid van het kind verder versterken.

In zichzelf gekeerd

Gedragspatronen: opgaan in eigen fantasie, gecombineerd met de neiging zich in eigen gevoelens, gedachten en stemmingen terug te trekken in plaats van open te staan voor communicatie met anderen.

Bij baby's gekenmerkt door in zichzelf gekeerd gedrag en neiging tot solitaire exploratie boven exploratie in de context van de interactie.

Peuters kunnen de indruk wekken verhoogd afleidbaar te zijn met aandachtstekort of met preoccupaties, vooral wanneer zij niet actief betrokken worden bij een taak of interactie. Zij neigen zich in fantasie terug te trekken bij confrontatie met externe uitdagingen (competitie met leeftijdsgenoten, opdrachten). Zij zijn vaak liever op zichzelf indien anderen niet actief meegaan in hun fantasieën. In hun eigen fantasiewereld kunnen deze kinderen veel verbeelding en creativiteit tonen.

Motorische en sensorische patronen: vaak verminderde auditief-verbaal verwerkingscapaciteiten gepaard met grote ideeënproductie (receptieve taalproblemen, gepaard met creativiteit en verbeeldingskracht versterken de neiging tot in zichzelf gekeerd gedrag). Deze kinderen vertonen soms disharmonieën in andere sensorische of motorische vaardigheden.

Opvoedingspatronen: aansluiting bij de niet-verbale en verbale communicatie van het kind en hulp bij de wederkerige communicatie, zoals bij het "openen en sluiten van communicatiecirkels" bevordert de ontwikkeling. Dit geldt ook voor een opvoedingsstijl waarin wordt gestreefd naar en goede balans tussen fantasie en werkelijkheid, en waarbij het kind dat in de fantasie neigt te vluchten bij de realiteit wordt gehouden. Gunstig hierbij zijn: sensitiviteit voor de interesses en gevoelens van het kind, communicatie over het dagelijks gebeuren en het fantasiespel zodat hiervan een gezamenlijke in plaats van solitaire bezigheid wordt gemaakt.

Daarentegen worden de problemen van het kind versterkt door zelfabsorptie en eigen preoccupaties bij verzorgers en door verwarrende communicatie patronen.

402. Type III: Motorisch Gedesorganiseerd, Impulsief

Deze kinderen hebben weinig controle over hun gedrag met daarnaast een sterke behoefte aan sensorische prikkels. Sommige kinderen komen agressief en angstvrij over. Anderen lijken impulsief en gedesorganiseerd.

Gedragpatronen: hoog activiteitsniveau, waarbij het kind contact en stimulering zoekt door middel van sterke aanraking/druk. Het kind komt roekeloos over. Niet zelden leidt het zoeken naar contact met mensen of voorwerpen tot het breken van dingen, tot opdringerigheid, tot slaan zonder aanleiding, etc.... Gedrag dat begint als gevolg van zwakke motorische planning en organisatie kan door anderen geïnterpreteerd worden als agressie in plaats van verhoogde prikkelbaarheid. Tegenover agressieve reacties van anderen kan de agressie van het kind meer opzettelijk worden.

Bij baby's gekenmerkt door het zoeken of hunkeren naar sensorische prikkels en stimulering.

Bij peuters gekenmerkt door prikkelbaar, agressief, opdringerig gedrag en roekeloos, gevaarlijk gedrag. Zij zijn in het spel gepreoccupeerd met agressieve thema's. Bij angst zijn deze kinderen geneigd tot counterfobisch gedrag (bijvoorbeeld gaan slaan voor zij wellicht geslagen worden of juist doorgaan met ongewenst gedrag als het kind gevraagd is om daarmee te stoppen). Als kinderen ouder zijn en beter in staat zijn tot reflecteren op eigen gedrag en tot verbaliseren, beschrijven zij soms hun hang naar activiteit en stimulatie als een manier om zich goed en sterk te voelen.

Motorische en sensorische patronen: sensorische hyporeactiviteit, hunkering naar sensorische prikkels en motorische ontlading, en zwakke motorische modulatie en planning, vaak in combinatie met grenzeloos, impulsief gedrag jegens personen en voorwerpen, ook in motorisch opzicht. Door de hyporeactiviteit zal het kind vluchtig luisteren en slecht opletten, tegelijkertijd zoekend naar harde geluiden of muziek. Deze prikkelhonger kan leiden tot destructief gedrag. Auditieve en visueel-ruimtelijke verwerking kan normaal zijn.

Opvoedingspatronen: continu warme betrokkenheid, ondersteuning en empathie, gepaard met een duidelijke structuur en grenzen, zijn noodzakelijk om de flexibiliteit en de aanpassing van het kind te bevorderen. Het is nuttig het kind positieve ervaringen aan te bieden met sensorische en affectieve prikkels, en daarbij modulatie en zelfregulatie aan te moedigen. Stimulatie van de verbeeldingsactiviteit van het kind tijdens exploratie van de buitenwereld zal de flexibiliteit verder doen toenemen.
De problemen worden daarentegen versterkt door gebrek aan continuïteit en betrokkenheid (steeds wisselende verzorgers), een bestraffende sfeer, onduidelijke grenzen en zowel over- als onderstimulatie.

404 Type IV: Overige

Deze categorie is voor kinderen die voldoen aan het eerste criterium voor regulatiestoornissen zoals motorische en sensorische verwerkingsproblemen, maar die niet voldoen aan de criteria voor een specifieke regulatiestoornis.

500. Stoornis in Slaapgedrag

Deze classificatie wordt overwogen wanneer de slaapstoornis het enige probleem is bij een baby of peuter; zonder dat er problemen zijn in de sensorische reactiviteit of verwerking.
Er wordt onderscheid gemaakt tussen inslaapstoornissen en doorslaapstoornissen, hypersomnolentie, stoornissen geassocieerd met slaapstadia of arousal (non-REM ontwaken/pavor nocturnus) of stoornissen in het ontwikkelen van een vast slaap- en waakritme. Kinderen met in- of doorslaapproblemen kunnen problemen hebben met het zelf tot rust komen en met overgangen van slapen naar waken en andersom.

Deze classificatie geldt niet wanneer het slaapprobleem primair wordt veroorzaakt door angst, een Ouder-kind relatiestoornis, tijdelijke aanpassingsproblemen, een Traumatische stressstoornis of een van de Regulatiestoornissen.

600. Stoornis in Eetgedrag

Deze classificatie die zich in verschillende ontwikkelingsfasen kan manifesteren, wordt overwogen wanneer een baby of peuter moeite heeft om in een regelmatig eetschema te komen met adequate voedselinname (zoals bij "niet-organische groeiachterstand"). Het eten wordt in dat geval niet gereguleerd door fysiologische gevoelens van honger en verzadiging.
Bij afwezigheid van algemene regulatieproblemen of interpersoonlijke luxerende omgevingsfactoren zoals separatie, trauma, contactafweer etc..., dient een primaire eetstoornis overwogen te worden.
Voor specifieke eetstoornissen bij zuigelingen en peuters, zoals Pica en Ruminatie, wordt verwezen naar de DSM IV.

Deze categorie geldt niet als primaire diagnose voor eetproblemen die duidelijk gerelateerd zijn aan sensorische en/of motorische verwerkingsproblemen. Als de eetproblemen wel gepaard gaan met duidelijke senso-motorische problemen zoals bij tactiele overgevoeligheid (zoals het afwijzen van voedsel met bepaalde consistentie) en/of lage orale spiertonus (het kind eet alleen zacht voedsel), dienen de specifieke subtypes regulatiestoornissen te worden overwogen. Bij aanwezigheid van organische/structurele problemen die het eten of de vertering belemmeren (zoals schisis, reflux, etc....) geldt géén primaire eetstoornis. In dat geval dient men de somatische diagnose onder As III te brengen. Indien echter de oorsprong van de eetstoornis in organische/structurele problemen lag welke inmiddels opgelost zijn, kan een stoornis in eetgedrag wel geclassificeerd worden.
Deze categorie geldt niet als primaire diagnose wanneer de eetproblemen deel uitmaken van een bredere diagnostische categorie, waar ze gepaard gaan met andere affectieve of gedragsstoornissen en gerelateerd zijn aan problemen in de relatie met primaire verzorgers, aan trauma's of aan aanpassingsproblemen. Als de eetstoornis primair gerelateerd is aan andere emotionele problemen, dienen deze adequaat geclassificeerd te worden met de bijkomende emotionele dynamiek en relaties. Stoornissen in het affect dienen dan overwogen te worden, met name Angststoornis en Reactieve hechtingsstoornissen.
De categorie geldt niet voor eetstoornissen die optreden in het kader van een Multisysteem ontwikkelingsstoornis.

700. Stoornissen in de Relatievorming en de Communicatie

Deze stoornissen, worden gekenmerkt door ernstige relatie- en communicatieproblemen, in combinatie met problemen in de regulatie van fysiologische, sensorische, motorische, affectieve, cognitieve en aandachtsprocessen.

De kinderen met de meest ernstige problemen in de relatievorming en de communicatie vallen gewoonlijk onder de Autistische stoornis. De oorspronkelijke beschrijving van Kanner (Kanner, L., Autistic disturbances of affective contact, Nervous Child 2, 1943: 217-250) richtte zich op een basaal tekort in de relatievorming als beslissend kenmerk: "From the beginning, an extreme autistic aloneness that disregards, ignores, shuts out…anything from the outside .(P 247) " In de diverse uitgaven van de "Diagnostic and Statistical Manual" (DSM) van de American Psychiatric Association wordt deze zienswijze bevestigd.

Later werd het raamwerk uitgebreid met een grotere groep stoornissen met gemeenschappelijke kenmerken. In de DSM III-R werd de Diffuse ontwikkelingsstoornis niet anderszins omschreven toegevoegd, die niet voldoet aan alle criteria voor een Autistische stoornis. In de DSM IV, werden de Pervasieve ontwikkelingsstoornissen verder uitgebreid met de Stoornis van Rett, de Desintegratiestoornis, de Stoornis van Asperger en de Pervasieve ontwikkelingsstoornis niet anderszins omschreven (Pervasive Developmental Disorder Not Otherwise Specified PDD-NOS).

De bredere definitie van het syndroom vindt haar oorsprong in de klinische ervaring met verschillende relatie- en communicatieproblemen bij kinderen die overeenkomsten vertonen met de oorspronkelijk beschreven autistische kenmerken. Een belangrijke vraag binnen de DC: 0-3 classificatie is: of kinderen met slechts relatieve tekorten in de relatievorming en de communicatie, en met duidelijke capaciteiten voor emotionele intimiteit met vertrouwde verzorgers, zoals bij veel kinderen bij wie een PDD-NOS of de Stoornis van Asperger is vastgesteld, tot dezelfde categorie behoren als kinderen bij wie oorspronkelijk werd vastgesteld, dat zij capaciteiten missen voor het aangaan van interpersoonlijke relaties?

De PDD-NOS categorie is niet goed gedefinieerd in de DSM IV. De definitie beschrijft alleen in zeer algemene termen ernstige en pervasieve tekorten in de relatievorming, de communicatie en de kwaliteit van interesses, terwijl niet voldaan wordt aan de criteria voor een specifieke (pervasieve) ontwikkelingsstoornis. Steeds meer kinderen echter, vooral jonge kinderen met een breed scala aan problemen met taal en interacties, worden als PDD-NOS geclassificeerd. Wanneer deze kinderen, met heterogene ontwikkelingspatronen en een nog niet bekend ontwikkelingspotentieel, ondergebracht worden in een breed autistisch cluster, bestaat de kans op verwarring met betrekking tot het verloop en de prognose van deze stoornis. De vraag is ook of bevindingen die gebaseerd zijn op onderzoek bij klassiek autisme, van toepassing zijn op kinderen met gemengde kenmerken. Er is nog onvoldoende bekend over de lange termijn verschillen in beloop en uitkomst tussen PDD-NOS types of tussen de PDD-NOS en de Autistische stoornis, gemeten vanaf de vroege kindertijd.

Autistische stoornissen zijn op zich niet te genezen. Daarom is het van klinisch en theoretisch belang om erachter te komen welke kenmerken tenminste aanwezig moeten zijn en welke stoornissen geclusterd dienen te worden. De prognose voor kinderen met gemengde autistische kenmerken, die worden geclassificeerd als PDD-NOS, wordt veelal gebaseerd op data die verzameld zijn bij kinderen met een Autistische stoornis. Er is duidelijk meer kennis nodig over de prognose van kinderen met gemengde kenmerken, om de definitie van het syndroom te verhelderen. De vraag is of kinderen met enige capaciteiten op relationeel gebied gepaard met disfuncties op communicatief, cognitief, motorisch en sensorisch gebied niet beter eerst als afzonderlijke groep gezien moeten worden tot er meer onderzoek is gedaan bij kinderen met gemengde kenmerken. Dit onderzoek zou kunnen leiden tot een classificatie met meer specifieke implicaties voor behandeling en prognose.

Clinici en wetenschappers, die zich met deze vragen bezig houden, dienen kennis te nemen van nieuwe bevindingen op dit vlak. Veel klinisch materiaal lijkt erop te wijzen dat kinderen, die gewoonlijk de classificatie Pervasieve ontwikkelingsstoornis krijgen, een heterogene verzameling kenmerken vertonen betreffende de relatievorming, dat zij verschillen in affectieregulatie en dat zij gevarieerde problemen vertonen met prikkelverwerking en cognitieve taken. Cognitieve defecten spelen mogelijk een rol in de etiologie van de Pervasive ontwikkelingsstoornissen. Onderzoek naar biologische verschillen waaronder prenatale, perinatale, anatomische, neurofysiologische en neurochemische patronen, zijn grotendeels aspecifiek en hebben nog geen eenduidige differentiatie mogelijk gemaakt tussen relatiestoornissen, problemen met de (sensorische) prikkelverwerking en regulatie problemen.

Verder kunnen kinderen "autistische gedragingen" vertonen in samenhang met verschillende combinaties van disharmonische ontwikkeling en disfuncties van het centrale zenuwstelsel en in combinatie met verschillende stressfactoren in de omgeving. Bij kinderen kunnen dergelijke zorgelijke gedragingen later weer verdwijnen. Bovendien zijn sommige klinische kenmerken die horen bij de Autistische spectrum stoornissen, niet uniek voor deze syndromen. Zo worden bijvoorbeeld motorische kenmerken zoals fladderen, persevererend gedrag en echolalie ook waargenomen bij relationeel betrokken kinderen met problemen in de modulatie van (senso-) motoriek, motorische planning, problemen in de sensorische verwerking en/of met taalproblemen.

Van belang is dat er klinische ervaring is bij kinderen met vroegtijdig vastgestelde en op de juiste manier behandelde "autistische kenmerken" die op den duur intieme relaties ontwikkelden. Er zijn dan ook aanwijzingen dat een aantal kinderen een duidelijk vermogen tot progressie vertonen, met name in relationeel en interactief opzicht. Progressie in taal en cognitieve ontwikkeling volgt dan vaak op de verbeterde relatievorming.

De verscheidenheid aan kenmerken en het ontbreken van specificiteit bij kinderen met uitgesproken problemen in de relatievorming en de communicatie roepen vragen op. De vraag is dan ook of een heterogene groep met problemen in de relatievorming en communicatie ondergebracht moet worden in één groot cluster van stoornissen samen met de Autistische stoornis, en of kinderen met relatief goede capaciteiten in de relatievorming gepaard met andere problemen in de communicatie, motorische en sensorische functies niet een afzonderlijke groep vormen.

Het valt buiten de doelstelling van dit boek een antwoord op die vragen te geven. Wel is het wenselijk dat eerst meer ervaring en kennis wordt opgedaan met betrekking tot kinderen met een breed scala aan relatie en communicatieproblemen.

Vooralsnog zijn er twee opties:

1 Toepassing van de DSM IV criteria voor de Pervasieve ontwikkelingsstoornissen (Pervasive Developmental Disorder, PDD).
2 Toepassing van het concept van de Multisysteem ontwikkelingsstoornis (Multisystem Developmental disorder, MSDD), waarbij de verschillende relatie en communicatieproblemen niet worden ondergebracht in een zelfde categorie, samen met kinderen met een autistische stoornis. In de MSDD worden de problemen in de relatievorming niet beschouwd als een relatief permanent defect maar als problemen die vatbaar zijn voor verandering en ontwikkeling.

Bij de diagnostiek is het belangrijk om meerdere alternatieve te overwegen, juist bij kinderen in de eerste drie levensjaren, bij wie de ontwikkeling snel gaat, ongelijkmatig verloopt en in potentie meer flexibel is.

De Pervasieve ontwikkelingsstoornissen uit de DSM IV bevatten een aantal kenmerken, waarvan de beperking in de relatievorming het belangrijkste is. De stoornis in de relatievorming wordt hier ook als een relatief permanent gegeven gezien binnen zekere variaties.

De categorie Multisysteem ontwikkelingsstoornis is gebaseerd op de hypothese dat de verschillende problemen in de relatievorming die worden aangetroffen bij jonge kinderen, niet altijd gesitueerd zijn op een continuüm van primaire defecten in de relatievorming. De mogelijkheid wordt open gelaten, dat problemen in de relatievorming, hoe ernstig ook, secundair kunnen zijn aan motorische en sensorische verwerkingsproblemen, zoals problemen in de regulatie, verwerking en reactie op verschillende prikkels waaronder auditieve en visuele prikkels. Bijvoorbeeld zuigelingen en peuters kunnen oogcontact vermijden, vocale en verbale toenaderingen negeren en zich afwenden van verzorgers op basis van sensorische verwerkingsproblemen. In dat geval, zullen hun mogelijkheden tot toenadering en tenslotte tot het aangaan van intieme relaties geleidelijk verbeteren naarmate de sensorische reactiviteit en verwerking verbeteren. Van de zuigelingen en peuters met sterk ontwijkend gedrag, vertonen sommige subtiele tekenen van affectieve betrokkenheid ten aanzien van hun verzorgers (zij worden bijvoorbeeld angstig als de verzorger de kamer verlaat in een nieuwe omgeving, of zoeken de verzorger op voor bepaalde sensorische ervaringen, zoals stevige aanraking).

De veronderstelling is dat bij vroege onderkenning, in de eerste twee à drie levensjaren, liefst zo vroeg mogelijk, de connectie tussen de capaciteit tot relatievorming en prikkelverwerkingsstoornissen meer flexibel is. Volgens deze visie worden de mogelijkheid voor progressie, inclusief de mogelijkheid tot het aangaan van betrokken relaties en communicatie, logisch denken en probleemoplossend vermogen, niet per definitie beperkt.

Voor een groter inzicht in de hele range van ernstige relatie- en communicatieproblemen is verder onderzoek onontbeerlijk. Vooralsnog lijkt het verstandig om relatie en communicatieproblemen onder te brengen in categorieën die de etiologie, het ontwikkelingsbeloop en de prognose open laten. Dit geldt vooral voor kinderen onder de drie jaar, omdat bij deze kinderen de relatiecapaciteiten nog vrij flexibel kunnen zijn.

In aanvulling op de Pervasieve ontwikkelingsstoornissen zoals beschreven in de DSM IV, wordt hier de categorie voorgesteld van de Multisysteem ontwikkelingsstoornissen (MSDD). MSDD is een beschrijvende term die weergeeft dat er achterstanden en/of disfuncties zijn op meerdere gebieden. De MSDD classificatie wordt overwogen bij kinderen met duidelijke tekorten in de communicatie en de motorische en sensorische verwerking, maar met capaciteiten en potentieel op het gebied van intieme en betrokken relaties.

De classificatie PDD of MSDD dient vooraf te zijn gegaan door uitvoerige observaties van het kind, samen met de verzorgers, in een steunende, veilige, niet overprikkelende setting, waar spontane interactie en spel mogelijk zijn en aangemoedigd worden. Na een adequate "warming-up", dient door een ervaren clinicus voldoende tijd genomen te worden om in contact te komen met het kind, met gebruikmaking van de juiste vaardigheden om het contact en de communicatie te faciliteren. De conclusie dat een kind géén adequate relaties kan aangaan mag uitsluitend getrokken worden nadat het kind een lange periode en bij voorkeur in verschillende situaties, niet reageert op zijn verzorgers of een ervaren clinicus. De conclusie verder dat er capaciteiten zijn op relationeel gebied dient niet uitsluitend gebaseerd te zijn op de interacties tussen clinicus en kind, of op incidentele observaties van de interactie tussen kind en verzorgers. Verder moeten de relaties met leeftijdsgenoten, hoe belangrijk ook, niet als basis dienen ter bepaling van de meest basale vermogens om relaties aan te gaan in de eerste levensjaren. Observatie van de respons van het kind op interventie gedurende een zekere periode is uiteindelijk de beste manier om het potentieel op het gebied van relatievorming in te schatten.

Multisysteem Ontwikkelingsstoornissen

(Multisystem Developmental Disorders, MSDD)

Bij alle criteria wordt rekening gehouden met de ontwikkelingsfase van het kind.

De kenmerken zijn als volgt:

1 Significante beperking maar niet afwezigheid van vermogen om emotionele en sociale relaties aan te gaan met de primaire verzorger (zoals: ontwijkend of doelloos gedrag, maar van tijd tot tijd subtiele uitingen van contact of bij wijlen vrij betrokken contact aangaan).

2 Significante beperking in initiëren, onderhouden of uitbouwen van communicatie. Dit behelst de preverbale communicatieve gebaren, alsook de verbale en niet verbale symbolische communicatie.

3 Significante disfuncties in de auditieve prikkelverwerking (perceptie en begrip).

4 Significante disfuncties in de verwerking van andere prikkels, waaronder hyper- en hypo-reactiviteit (ten aanzien van visueel ruimtelijke, tactiele, proprioceptieve en vestibulaire prikkels), en motorische planning (bewegingsreeksen).

De hierboven beschreven relatie- en communicatieproblemen en verwerkingsproblemen uiten zich verschillend. Er is een onderverdeling aangebracht om de klinische opsporing, de behandelplanning en het wetenschappelijk onderzoek te faciliteren en die gebaseerd is op klinische observatie en niet verwijst naar specifieke subtypen stoornissen. De drie patronen worden nader omschreven in Bijlage 2.
Bij de classificatie gaat men, nogmaals, uit van voor de leeftijd te verwachten vaardigheden.

701. Patroon A

Deze kinderen gedragen zich doelloos en zijn meestal niet bij interacties betrokken. Zij vertonen ernstige problemen in de motorische planning, zodat zelfs de uitvoering van eenvoudige intentionele gebaren problemen geeft. Zij vertonen gewoonlijk vlak, inadequaat of onvoldoende gemoduleerd affect maar soms, bij direct sensorisch spel, tonen zij momenten van plezier, of van woede uitbarstingen, bij overprikkeling. Zij tonen veel autostimulerend en ritmisch gedrag in plaats van meer georganiseerd en persevererend gedrag met voorwerpen. Veel kinderen hebben een lage spiertonus en vertonen weinig reactie op prikkels, waarbij steeds sterkere prikkels nodig zijn om reacties uit te lokken. Soms is er sprake van een selectieve hyperreactiviteit op andere prikkels, zoals aanraking of bepaalde geluiden. Sommige kinderen met een dergelijk patroon hebben géén lage spiertonus, maar zijn hyperactief en extreem afleidbaar. Interventies die de nodige sensorische en affectieve betrokkenheid bieden en gericht zijn op de onderreactiviteit en motorische planningsproblemen, kunnen zorgen voor een graduele toename van de relationele betrokkenheid en de doelgerichtheid van deze kinderen

702. Patroon B

Deze kinderen zijn van tijd tot tijd relationeel betrokken en soms in staat tot eenvoudige intentionele handelingen. In deze groep lijkt het affect toegankelijk, maar vluchtig, met korte momenten van oppervlakkige tevredenheid of plezier. Consistente uitingen van vreugde of warmte in interacties ontbreken echter. Deze kinderen neigen zich te vermaken met repetitieve en persevererende activiteiten (niet uitsluitend autostimulatie) maar zijn erg rigide en tonen heftige reacties op veranderingen. Kinderen met een dergelijk patroon vertonen gemengde kenmerken van sensorische reactiviteit en spiertonus en zijn veel minder gedesorganiseerd dan kinderen met patroon A in het zoeken naar of vermijden van prikkels. Meestal worden intenties uitgedrukt in patronen van negativisme of actieve vermijding. Hiermee wordt de hoeveelheid sensorische of affectieve prikkels onder controle gehouden.

Interventies gericht op uitbouw van de interactie momenten kunnen het gedragsrepertoire en de affectieve interacties doen toenemen.

703. Patroon C

Deze kinderen zijn duidelijker relatiegericht en kunnen sterk op anderen reageren, zelfs in aanwezigheid van ontwijkend en rigide gedrag. Hoewel ze voortdurend geneigd zijn om interactie te vermijden, zijn er van tijd tot tijd momenten van warme, plezierige interactie en is hun betrokkenheid in relaties ook duidelijker dan bij kinderen met patronen A en B. Ze zijn in staat tot eenvoudige sociale gebaren (zoals handen uitsteken, kijken, vocaliseren, uitwisselen van voorwerpen), en bij wijlen tot complexe sociale gedragingen (bijvoorbeeld brengt ouder naar de deur als deze vertrekt). Deze kinderen vertonen ook weerstand tegen verandering, met forse neiging tot persevereren en preoccupaties ten aanzien van bepaalde voorwerpen. Zij laten echter een ander toe in hun persevererend gedrag waardoor dit in de interactie wordt betrokken (bijvoorbeeld het kind probeert op speelse wijze je hand van de deur te halen terwijl deze steeds opnieuw open en dicht wordt gedaan.) Zij vertonen een gemengd patroon van problemen in sensorische reactiviteit en motorische planning, met een neiging tot overreactie op prikkels. Soms worden woorden of zinnen op stereotiepe wijze gebruikt (zoals het letterlijk herhalen van woorden uit een video of lied).

Interventies gericht op het stimuleren van de omgang met anderen, op het uiting van spontane affecten en voorkeuren, die de interactie momenten uitbreiden en de symbolische functies stimuleren, kunnen zorgen voor progressie in de emotionele expressiviteit, in het vermogen relaties aan te gaan en in het niveau van symbolisch denken.

As II: Ouder-kind Relatiestoornis

Inzicht in de kwaliteit van de ouder-kind relatie vormt een belangrijk onderdeel van het diagnostisch profiel bij zuigelingen en jonge kinderen. De primaire relaties van zuigelingen en jonge kinderen dragen niet alleen bij tot de ontwikkeling van de persoonlijkheid van het kind en de psychologische afweerstructuur, maar bepalen ook mede diens verwachtingen ten aanzien van relaties met anderen.

In het werk met zeer jonge kinderen is de behandeling vaak gericht op de ouder-kind relatie. Derhalve is het belangrijk dat primaire relaties worden onderzocht en eventueel gediagnosticeerd. Indien er een stoornis is, dient deze relatiespecifiek te zijn. Er dient systematisch gekeken te worden naar de betekenis van gedragspatronen binnen de primaire relatie(s) van het jonge kind. Daarna kunnen interventies worden geformuleerd, zowel gericht op het niveau van het individu als van de relatie.

Binnen de classificatie van relatiestoornissen worden de specifieke stoornissen beschreven in relaties en interacties van zuigelingen en jonge kinderen met hun ouders. In deze As wordt gesproken van ouder om de intensiteit van de relatie aan te geven, maar vaak dient juist een andere verzorger, die de rol van de ouder overneemt, bij het onderzoek te worden betrokken.

Stoornissen in de relatie tussen ouder en kind worden gekenmerkt door percepties, attitudes, gedragingen en affecten van de ouder, het kind, of beide, die resulteren in gestoorde interacties. Vanaf het begin kan de omgang van de ouder met de baby bepaald worden door de eigen persoonlijkheid, inclusief projecties en afweer. In wisselwerking met de kenmerken van het kind kan dit leiden tot problemen of stoornissen in de relatie.

De classificatie van relatiestoornissen dient zowel gebaseerd te zijn op observaties als op de subjectieve ervaring van ouder(s) (en kind), zoals deze naar voren komen tijdens een klinisch interview. De intensiteit, de frequentie en de duur van de eventuele problemen zijn de factoren waarop men zich baseert voor de classificatie van relatiestoornissen: als matige verstoring, ernstige verstoring of stoornis.

As II dient alleen te worden gebruikt om significante relatieproblemen te classificeren. Een primaire classificatie (As I) hoeft niet gepaard te gaan met een relatieclassificatie (As II). As II is géén relatieschaal met een bereik van goed aangepast tot volledig gestoord. Sommige relaties neigen in de richtingen zoals beschreven in As II – bijvoorbeeld 'overbetrokken' of 'vijandig'. Deze mildere stoornissen in de relatie met de ouder kunnen het gevolg zijn van een stoornis bij het kind, familieomstandigheden of andere stressoren, die het normale ouderlijk functioneren onder druk zetten. Men dient te waken voor overdiagnostiek bij dergelijke milde en tijdelijke verstoringen gerelateerd aan stressfactoren. Wel kunnen de beschreven categorieën in gedachte worden gehouden bij milde of tijdelijke vormen, voor een beter begrip van de gezinsdynamiek en om interventies te sturen.

De schaal voor de algemene beoordeling van de ouder-kind relatie (Parent Infant Relationship Global Assessment Scale (PIR-GAS), een op onderzoek gebaseerde schaal (zie bijlage) omvat de hele range van ouder kind relaties en kan zowel worden gebruikt voor research als om de sterkte kanten van een relatie alsook de ernst van een stoornis vast te stellen. De score loopt van goed geadapteerd (90) tot ernstig beschadigd (10).

Scores onder de 40 hebben betrekking op gestoorde tot ernstig afwijkende relaties. Deze komen in aanmerking voor een relatieclassificatie op grond van de ernst en de omvang van de problemen van het ouder-kind paar. Op dit niveau dienen de meeste gedragingen evident aanwezig zijn, op een manier die uitgesproken en persisterend is. Met scores tussen de 70 en de 40 kunnen relatiekenmerken worden beschreven, zonder dat er sprake is van een relatiestoornis.

Drie aspecten van de relatie zijn beslissend voor de bepaling van een relatiestoornis:
- de gedragskenmerken van de interactie;
- de affectieve toonzetting en
- de mate van psychologische betrokkenheid.

De gedragskenmerken van de interactie zijn een vereist criterium voor de classificatie, deze zijn toegankelijk voor observatie en voldoende ernstig om als focus te dienen van diagnostiek en behandeling. Het vermelden van de affectieve toonzetting en mate van betrokkenheid dient ter verduidelijking van de mogelijke dynamiek gerelateerd aan deze gedragingen.

De gedragskenmerken van de interactie hebben betrekking op het gedrag van elke deelnemer aan de ouder-kind relatie. Het gedrag van de ouder, het kind of van beide kan verstoord zijn.

Ouder: de mate van sensitiviteit voor de signalen van het kind, de congruentie van de respons, de oprechte betrokkenheid of bezorgdheid, de regulatie, de voorspelbaarheid en de kwaliteit van de structuur zijn ouderkenmerken die bepalend zijn voor de interactie.

Kind: afwijzing, vermijding, verstijving, lethargie, afwezige respons en afweer zijn voorbeelden van kindkenmerken die bepalend zijn voor de interactie. Soms is niet duidelijk of het gedrag primair is of reactief. Bijvoorbeeld in geval van een moeder of vader die gedeprimeerd, ongeïnteresseerd of kil reageert op het kind. Dit kan echter deels een reactie zijn op de starende blik en verdere afwezigheid van responsief of uitnodigend gedrag bij een ziek kind.

Stoornissen bij zuigelingen en jonge kinderen kunnen zich ook manifesteren als ontwikkelingsachterstand (taal, motoriek, cognitie, of sociaal-emotioneel), die de capaciteiten tot interactie kunnen beperken. Deze achterstanden kunnen zowel gevolg zijn van de relatiestoornis alsook bijdragen aan die stoornis.

Affectieve toonzetting van het ouder-kind paar: een intens angstig/gespannen of negatief affect (geïrriteerd, boos, vijandig) bij een of beide deelnemer(s) kan de interactie deels of geheel kenmerken. Zorgelijk hier is het ontregelende effect van intense emotionele ontladingen en de daarbij toegenomen onvoorspelbaarheid.

Mate van betrokkenheid: deze heeft betrekking op de ouderlijke attitudes en percepties ten aanzien van hun kind. Het beeld dat de ouder heeft van hechtingsrelaties, mede op basis van eigen jeugdervaringen, heeft meestal invloed op de perceptie door de ouder van het kind en op diens verwachtingen. Verstorende of slechte jeugdervaringen kunnen ertoe leiden dat een ouder bepaalde gevoelens onterecht toeschrijft aan zijn of haar kind (zoals: een ouder die gedragingen van het kind onterecht interpreteert als veeleisend, negatief of agressief).

Indien mogelijk dient slechts één relatieclassificatie te worden gekozen. Indien de relatie niet voldoet aan de criteria van één specifieke ouder-kind relatiestoornis kan deze als gemengde ouder-kind relatiestoornis worden geclassificeerd.

Voorbeeld: de relatie oogt overbetrokken en overbeschermend maar is in feite emotioneel koel en afstandelijk. Indien sprake is van enige vorm van mishandeling, d.w.z. verbaal, fysiek of seksueel zoals hierna uitvoerig beschreven, prevaleert altijd de mishandeling boven andere classificaties. De overige kenmerken van de relatie dienen dan wel beschreven te worden.

901. Overbetrokken Relatie

De relatie wordt gekenmerkt door fysieke en/of psychologische overbetrokkenheid.

Gedragskenmerken van de interactie
1 Ouder interfereert vaak met de intenties en wensen van kind.
2 Ouder domineert het kind door overmatige controle.
3 Ouder stelt inadequate eisen gezien het ontwikkelingsniveau.
4 Kind gedraagt zich verward, weinig gefocust en ongedifferentieerd.
5 Kind gedraagt zich onderdanig, te inschikkelijk of juist opstandig.
6 Kind mist bepaalde motorische en/of taalvaardigheden.

Affectieve toonzetting
1 De ouder heeft periodes van angst, depressie of boosheid, waardoor de continuïteit in de ouder-kind interactie ontbreekt.
2 Kind vertoont eventueel min of meer boosheid en/of halsstarrigheid en dreint veelvuldig.

Psychologische betrokkenheid
1 De ouder ziet het kind als partner of gelijke, romantiseert of erotiseert het kind.
2 De ouder ziet het kind niet als een afzonderlijk individu met eigen behoeften en is niet oprecht geïnteresseerd in de eigenheid van het kind. Hierdoor kunnen diffuse generatiegrenzen ontstaan. Zoals:
a) Pogingen van de ouder om het kind in te zetten voor bevrediging van eigen behoeften.
b) De ouder gebruikt de baby of peuter als vertrouweling.
c) Extreme fysieke nabijheid of erotiserend gedrag.
d) Beperkte wisselwerking of dialoog suggestief voor ontbreken van gevoel voor individuele grenzen.

902. Onvoldoende Betrokken Relatie

De relatie wordt gekenmerkt door gemis aan oprechte betrokkenheid of verbondenheid met het kind, zoals vaak blijkt uit gebrek aan belangstelling of slechte zorg.

Gedragskenmerk van interactie
1 De ouder is ongevoelig en/of niet responsief ten aanzien van de signalen van het kind.
Voorbeeld: een gedeprimeerde ouder uit weliswaar verbaal liefde en zorg voor het kind maar is te moe of in zichzelf gekeerd om daadwerkelijk emotioneel beschikbaar te zijn voor het huilende kind.
2 Zichtbare inconsistentie tussen de attitude van de ouder ten aanzien van het kind en de kwaliteit van de daadwerkelijke interacties. Duidelijke voorspelbaarheid of wisselwerking in de sequentie en volgorde van interacties ontbreken veelal.
Voorbeeld: een ouder uit bezorgdheid over de noodzaak van voedsel voor het kind met groeiachterstand, terwijl de voedingen van het kind door hem/haar beperkt worden.
3 De ouder negeert het kind, wijst het af of troost het niet.
4 De ouder is niet goed in staat tot empathisch reageren door adequate terugkoppeling van de emoties van het kind.
5 De ouder kan het kind onvoldoende beschermen tegen bronnen van fysiek of emotioneel geweld of mishandeling door anderen.
Voorbeeld:
a) De ouder laat het kind gedurende lange periodes alleen achter of laat het kind over aan de zorg van een jong kind.
b) De huiselijke omgeving is onvoldoende veilig.
6 De interacties tussen ouder en kind zijn ontregeld, waarbij signalen van het kind vaak gemist of verkeerd uitgelegd worden door de ouder.
7 Ouder en kind tonen géén of zeldzame momenten van verbondenheid.
Voorbeeld: Er wordt weinig oogcontact of fysieke toenadering gezien.

8 Het kind komt onverzorgd over in fysieke en/of psychologische zin. Voorbeelden:

   a) Het kind is vaak ziek en uit de voorgeschiedenis blijkt onvoldoende medische zorg.
   b) Ongewassen lichaam of kleding.
   c) Groeistoornissen (failure to thrive).

9 Het kind vertoont motorische en spraak achterstanden door onderstimulatie. Sommige kinderen zijn echter voor een deel voorlijk wat betreft de motorische- en taalvaardigheden, dit als een onderdeel van een promiscue stijl in de relatie met volwassenen.

Affectieve toonzetting

1 Het affect bij zowel ouder als kind is doorgaans beperkt, teruggetrokken, verdrietig en vlak.

2 Bij observatie komt de interactie levenloos en weinig plezierig over.

Psychologische betrokkenheid

1 De ouder is zich niet bewust van noden en interesses van het kind, zoals blijkt uit gesprekken met anderen, of uit interacties met het kind.

2 De eigen voorgeschiedenis van de ouder wordt mogelijk gekenmerkt door emotionele en/of fysieke verwaarlozing. Dientengevolge mist de ouder een goede basis om oog te kunnen hebben voor de behoeften van het kind. Voorbeeld: De ouder is bijvoorbeeld vaak fysiek en/of emotioneel onbeschikbaar en zorgt niet voor vervangende vaste opvang voor het kind.

903. Angstige/Gespannen Relatie

Deze relatie wordt gekenmerkt door interacties die gespannen en ingeperkt zijn, met weinig gevoel voor ontspannen vermaak of wisselwerking. De emotionele communicatie komt angstig/gespannen over.

Gedragskenmerken van interactie

1 Vaak extreem verhoogde gevoeligheid van ouders voor signalen van het kind.

2 Ouder uit vaak zorgen omtrent welbevinden, gedrag of ontwikkeling en is soms overbeschermend.

3 Fysieke omgang met kind kan onbeholpen of gespannen zijn.

4 Relatie kan negatieve verbale/emotionele interacties bevatten, hoewel deze de relatie niet kenmerken.

5 Slechte match tussen kind en ouder wat betreft temperament en activiteitenniveau.

6 Kind kan erg meegaand of angstig zijn in aanwezigheid van de ouder. Bijvoorbeeld het kind klampt zich extreem vast aan de ouder, of de angst interfereert met de adequate ontwikkeling van vaardigheden, zoals spraak of doe alsof spel.

Affectieve toonzetting
1 De ouder of de baby komt angstig over, hetgéén blijkt uit motorische spanning, ongerustheid, agitatie, gelaatsuitdrukkingen en de kwaliteit van vocalisaties en spraak.
2 Zowel de ouder als de baby reageren buitensporig. Dit leidt tot escalaties van ontregelde interacties. Een dergelijk patroon wordt vaak gezien in combinatie met onderliggende regulatieproblemen bij het kind.

Psychologische betrokkenheid
De ouder interpreteert het gedrag en/of de emotie van het kind vaak onjuist en reageert daardoor verkeerd op het kind.
Voorbeeld: het huilen en schreeuwen van de peuter door verdriet of frustratie wordt door de ouder geïnterpreteerd als reactie op het eigen onvermogen. Gevoelens van afgewezen te worden en falen kunnen daaruit voortvloeien met als gevolg verwijten naar en afkeer van het kind.

904. Boze/Vijandige Relatie

Deze relatie wordt gekenmerkt door interacties tussen ouder en kind die ruw en kortaf zijn en waarbij emotionele wederkerigheid vaak ontbreekt. In de relatie komt de communicatie boosaardig en vijandig over.

Gedragskenmerken van interactie
1 De ouder is mogelijk ongevoelig voor de signalen van het kind, vooral wanneer die als veeleisend wordt beschouwd.
2 Het fysieke contact met het kind is ruw.
3 De ouder tergt of plaagt het kind.
4 Het kind lijkt angstig, schuw, verlegen, impulsief of diffuus agressief.
5 Het kind vertoont mogelijk afwijzend gedrag tegenover de ouder.
6 Het kind is mogelijk veeleisend en/of agressief tegenover de ouder.
7 Het kind vertoont mogelijk angstig, hyperalert en vermijdend gedrag.
8 Het kind toont de neiging tot ageren met achterblijvende ontwikkeling van fantasie en verbeeldingsvermogen. Bepaalde aspecten van cognitie en taal die zijn betrokken bij het abstractievermogen en bij de verwerking van complexe gevoelens zijn ingeperkt of lopen achter.

Affectieve toonzetting
1 De kenmerkende interactie tussen ouder en kind is vijandig of op de rand van kwaadaardig.
2 Matige tot forse spanning tussen ouder en kind met een opmerkelijk gebrek aan plezier en enthousiasme.
3 Beperkt affect bij het kind.

Psychologische betrokkenheid

De ouder ervaart de afhankelijkheid van het kind als veeleisend en stoort zich aan de behoeften van het kind. Deze vijandigheid kan veroorzaakt zijn door actuele stressfactoren of afgeleid zijn van vroegere ervaringen van de ouder van emotionele deprivatie en/of vijandigheid.

Voorbeelden:

a) De afhankelijkheidsbehoeften van het kind worden beleefd als de afhankelijkheid van de eigen afwijzende of afwezige ouder. Hierdoor kan de ouder gefrustreerd of vijandig reageren op de behoeften van het eigen kind.

b) De ouder ziet de toenemende onafhankelijkheid, geldingsdrang of leeftijdsadequate weigerachtigheid van het kind als bedreigend voor het eigen gezag of controle.

c) De ouder projecteert eigen negatieve gevoelens op het kind en beleeft deze als van het kind afkomstig.

905. Gemengde Stoornis in de Relatie met de Verzorger

De relatie wordt gekenmerkt door een combinatie van bovengenoemde eigenschappen.

Wanneer relaties tussen ouder en kind duidelijk kenmerken vertonen uit meerdere types relatiestoornissen geldt de categorie 'gemengde stoornis in de relatie met verzorger(s)'. Hierbij dienen geobserveerde specifieke kenmerken beschreven te worden – bijvoorbeeld, wisseling tussen boze, vijandige interacties en afstandelijke, ongeïnteresseerde interacties, of tussen overbeschermend en te weinig beschermend gedrag.

906. Stoornis in de Relatie met Mishandeling

Onderscheiden worden: verbale, fysieke en/of seksuele mishandeling. De volgende drie classificaties hebben betrekking op specifieke vormen van mishandeling en prevaleren altijd boven de hier eerder genoemde relatieclassificaties.

Indien sprake is van enige vorm van mishandeling, geldt deze als primaire relatieclassificatie. Daarna kunnen de verdere globale relatiepatronen worden aangegeven met behulp van één van de eerder beschreven relatie categorieën (bijvoorbeeld te weinig betrokken, vijandig, gespannen, enzovoort).

Gezien de ernst en persistentie van mishandeling is één kenmerk uit de gedragskenmerken van de interactie voldoende voor de classificatie van elke vorm van mishandeling. Vanzelfsprekend kunnen meerdere vormen van toepassing zijn.

906a. Verbale Mishandeling

Waaronder ernstige emotionele mishandeling, grenzeloosheid of overmatige controle/inperking.

Gedragskenmerken van de interactie

1 De inhoud van verbale, emotionele mishandeling door de ouder is bedoeld om de baby of de peuter ernstig te kleineren, te beschuldigen, aan te vallen, in te perken en af te wijzen.

2 De reacties van de baby of peuter kunnen variëren van ingeperkt, hyperalert tot ernstig externaliserend gedrag. (De variatie is afhankelijk van de aard van de mishandeling en het temperament en ontwikkelingsniveau van het kind).

Affectieve toonzetting

1 De negatieve en door mishandeling gekenmerkte ouder-kind interactie kan zich bij het kind uiten als depressiviteit, ontregeling en/of affectvervlakking.

Psychologische betrokkenheid

1 De ouder interpreteert het huilen van de baby verkeerd; vaak als opzettelijke negatieve reacties gericht op hem- of haarzelf. Deze misinterpretatie kan tot uiting komen in de verbale inhoud van de ouderlijke aanvallen, die mogelijk is afgeleid van onopgeloste problemen in relaties uit het verleden.

2 De signalen van de baby kunnen herinneringen aan vroege pijnlijke ervaringen oproepen. Bijvoorbeeld in het geval van een moeder, die niet op het huilen van haar baby kan reageren vanwege haar eigen ervaringen met verwaarlozing, of een ouder die zich slecht en waardeloos voelt, als het haar niet lukt haar kind te troosten.

Deze processen zijn vaak niet bewust.

906b. Met Fysieke Mishandeling

Gedragskenmerken van de interactie

1 De ouder brengt de baby of de peuter lichamelijk letsel toe. Voorbeelden:
   a) Klappen geven, slaan, knijpen, bijten en schoppen
   b) Fysieke onderdrukking
   c) Opsluiten gedurende lange periodes
   d) Andere extreme vormen van bestraffing

2 De ouder onthoudt de baby of kleuter geregeld essentiële levensbehoeften zoals voedsel, medische hulp, en/of gelegenheid om te rusten.

3 Deze classificatie kan ook periodes omvatten van verbale en/of emotionele en/of seksuele mishandeling.

Affectieve toonzetting

1 Boosheid, vijandigheid of irritatie in de emotionele toonzetting van de ouder-kind relatie.

2 Aanzienlijke tot matige spanning tussen ouder en baby met een opvallend tekort aan vermaak en enthousiasme.

C Psychologische betrokkenheid
1 De ouder laat duidelijk woede of vijandigheid jegens de baby blijken door een ruwe stijl in taalgebruik of gedrag (bijvoorbeeld nors, fronsen, hard en bestraffend taalgebruik en/of attitude.) De ouder heeft moeite met het stellen van grenzen op een niet dreigende wijze.
2 Het kind vertoont de neiging tot ageren in plaats van zijn/haar fantasie of voorstellingsvermogen te ontwikkelen. Bepaalde aspecten van cognitie en taal, die te maken hebben met het abstractievermogen, alsmede het vermogen met complexe gevoelens om te gaan, kunnen ingeperkt zijn of een achterstand vertonen.
3 De interactie kan periodes omvatten van intimiteit of verbondenheid naast periodes van afstand, vermijding of vijandigheid.
4 De ouder en de baby kunnen redelijk goed functioneren in bepaalde situaties maar raken ofwel te zeer ofwel te weinig betrokken bij bepaalde gevoelige onderwerpen (bijvoorbeeld negatieve ervaringen uit het verleden waardoor de ouder gesensibiliseerd kan raken en gaat projecteren: bepaalde gedragingen van het kind kunnen dan verkeerd wordt opgevat en ten onrechte een hele negatieve connotatie krijgen).

906c. Met Seksuele Mishandeling

Houdt in een gebrek aan respect voor fysieke grenzen met duidelijke seksuele grensoverschrijding.

Gedragskenmerken
1 De ouder vertoont seksueel verleidend en overprikkelend gedrag jegens het jonge kind met de bedoeling eigen seksuele behoeften of verlangens te bevredigen.
Voorbeelden:
a) Verleiden of dwingen van het kind tot seksuele betasting van de ouder.
b) Verleiden of dwingen van het kind tot seksuele betasting door de ouder.
c) Verleiden of dwingen van het kind om naar seksuele gedragingen van anderen te kijken.
2 Een jong kind vertoont seksueel geladen gedrag, zoals seksueel exhibitionisme of het steeds gluren naar of aanraken van andere kinderen.
3 Deze diagnose kan ook periodes van verbale of emotionele en/of fysieke mishandeling omvatten.

Affectieve toonzetting
1 Het ontbreken van grenzen en consistentie in de ouder-kind interactie kan zich uiten in het labiele affect van de ouder, met wisselende periodes van boosheid of angst.
2 De baby kan angstig en/of gespannen overkomen.
3 De peuter kan bang, angstig, of van tijd tot tijd agressief overkomen.

Psychologische betrokkenheid

1 Kenmerkend is dat de ouder niet empathisch reageert op de behoeften en gedragingen van het kind en dat de preoccupatie met de eigen behoefte bevrediging prevaleert.

2 De ouder toont een extreem verstoord denkpatroon, waarin de keuze van een jong kind als seksueel object mogelijk is.

Van belang is ook dat het jonge kind moeite kan hebben met de ontwikkeling van fantasieën en voorstellingsvermogen alsook met de ontwikkeling van abstractievermogen in taal en cognitieve functies. Het kind neigt dan mogelijk tot een niet geïntegreerde organisatie van emoties, cognities en gedrag, in plaats van een coherente persoonlijkheidsorganisatie te ontwikkelen.

As III: Medische Aandoeningen en Overige Stoornissen in de Ontwikkeling

As III dient voor de classificatie van somatische diagnoses en voor psychische stoornissen en/of ontwikkelingsstoornissen uit andere classificatiesystemen (DSM IV en/of ICD-10), alsmede specifieke classificaties die worden gebruikt door spraak-taal deskundigen, fysiotherapeuten, ergotherapeuten en onderwijskundigen. Een diagnostische en statistische handleiding voor verzorgers van kinderen (kind-versie) is in ontwikkeling; de Amerikaanse 'Academy of Pediatrics' Task Force on Coding for Mental Health in Children coördineert dit programma.

As IV: Psychosociale stressfactoren

As IV dient voor het vastleggen van de aard en de ernst van psychosociale stressfactoren die van invloed zijn bij verschillende stoornissen bij zuigelingen en jonge kinderen. Hiertegenover staan de traumatische stressstoornissen op As I, waar de acute of chronische stressfactoren bepalend zijn voor de stoornis.

Stressfactoren kunnen zowel direct als indirect invloed hebben (zoals een ziekenhuisopname van het kind, respectievelijk van de ouder, waardoor het kind van ouder gescheiden wordt). Stressfactoren, acuut of chronisch, kunnen gezamenlijk optreden en cumuleren. Op zichzelf normale gebeurtenissen en overgangen kunnen stressvol zijn voor een baby of peuter, zoals de geboorte van een nieuwe baby, een verhuizing, een ouder die opnieuw gaat werken of veranderingen in kinderopvang. Eenzelfde gebeurtenis kan verschillend worden ervaren en wat voor het ene kind stressvol is wordt door een ander goed verwerkt met de bijbehorende aanpassing.

Ter beoordeling van de impact van stressfactoren op baby's en peuters is het nuttig te denken in termen van verlies van basisveiligheid dat wil zeggen het verlies van noodzakelijke en voor de leeftijd adequate bescherming en betrokkenheid door vertrouwde verzorgers. De ernst van een specifieke stressfactor dient dan ook te worden onderscheiden van de uiteindelijke impact op het kind en deze impact is ook afhankelijk van de context. De omgeving kan het kind beschermen tegen de stressfactor, zodat deze minder invloed heeft. De invloed kan echter ook versterkt worden door inductie van angst en/of andere negatieve houdingen.

De uiteindelijke impact van een stressvolle gebeurtenis of van langdurige stress is afhankelijk van drie factoren:

- de ernst van de stressfactor (intensiteit en duur, de frequentie en de onvoorspelbaarheid);
- het ontwikkelingsniveau van het kind (chronologische leeftijd, begaafdheid en veerkracht);
- de beschikbaarheid en vaardigheden van personen in de directe omgeving die als beschermende buffer kunnen fungeren en het kind kunnen helpen de stressfactor te verwerken.

De hieronder vermelde stressindex dient ter identificatie en beoordeling van stressbronnen. Hoe groter het aantal factoren, hoe groter de stress voor het kind. Rekening dient te worden gehouden met de volgende effecten van stress-factoren: verstoring van de ontwikkeling, symptoom ontwikkeling, regressie, posttraumatisch gedrag, stemmingsveranderingen en relatieproblemen. Met de beoordeling van de totale impact van stress wordt getracht de veerkracht van het kind vast te stellen tegenover de omvang van de stressfactoren, de indi-viduele capaciteiten van het kind en de steun van de omgeving. Op de andere assen van dit classificatiesysteem kunnen de specifieke effecten op het kind worden vastgelegd.

Gezien de snelle ontwikkeling en biologische rijping van het kind in de eerste jaren en de relatieve gevoeligheid voor veranderingen, worden de volgende definities voorgesteld voor "overwegend acute" en "overwegend chronische" stress:

	Acuut	Chronisch
Eerste jaar:	minder dan een maand	meer dan een maand
Tweede jaar:	minder dan drie maanden	meer dan drie maanden
Derde jaar:	minder dan drie maanden	meer dan drie maanden

Bij gebruik van de index dienen alle bronnen van stress en de ernst ervan (van mild tot ernstig) te worden vastgesteld. Daarna wordt de impact op het jonge kind beoordeeld, in samenhang met de context, die beschermend of verder luxerend kan zijn. Om het cumulatieve effect van stressfactoren in kaart te brengen dienen alle bronnen van stress in de omgeving van het kind genoteerd te worden. Bijvoorbeeld een kind dat naast plaatsing in een pleeggezin ook de invloed van mishandeling, psychiatrische ziekte van de ouders, scheiding en/of armoede ervaart. Bovendien dienen gewone bronnen van stress ook te worden vastgelegd, onafhankelijk van de eventuele gevolgen: zoals een verhui-zing, de geboorte van een kind, begin van kinderopvang, etc.

Stress index

Stressbronnen	Acuut	chronisch
Adoptie		
Armoede		
Begin van kinderopvang		
Geboorte van een broer/zus		
Geweld in de omgeving		
Mishandeling – emotioneel		
Mishandeling – fysiek		
Mishandeling – seksueel		
Natuurlijke catastrofe		
Ongeval		
Ontvoering		
Opname in ziekenhuis		
Plaatsing in pleeggezin		
Plotseling letsel		
Plotseling verlies van huis		
Scheiding van de ouder		
Trauma bij ander belangrijk persoon		
Verhuizing		
Verlies van een andere belangrijke persoon		
Verlies van ouder		
Verwaarlozing		
Ziekte		
Ziekte van ouder – medisch		
Ziekte van ouder – psychiatrisch		
Overige		

Aantal stress veroorzakers

Totale impact van stressfactor(en)
Rekening wordt gehouden met de totale impact van bovengenoemde stressfactoren op het kind in de eigen context. Onderstaande scoringslijst dient voor klinische en onderzoeksdoeleinden.

1 Géén duidelijke effecten.
2 Milde effecten: stress, spanning of angst zijn wel herkenbaar maar hebben géén invloed op de algehele adaptatie van het kind, bijvoorbeeld geprikkeld, tijdelijke uitbarstingen van woede of huilen, wisselende slaap, etc...
3 Matige effecten: ontsporing op een aantal adaptatiegebieden, maar niet op cruciale gebieden zoals de relatievorming en de communicatie,
   Bijvoorbeeld: zich vastklemmen aan de moeder, niet naar school willen of naar de kinderopvang, oppositioneel of impulsief gedrag, slaapstoornissen, etc...
4 Ernstige effecten: aanzienlijke ontsporing op cruciale gebieden van adaptie, bijvoorbeeld het zich terugtrekken uit relaties, heel angstig, depressief en teruggetrokken overkomen, ontroostbaar huilen, niet communiceren, etc...

As V: Functioneel Emotioneel Ontwikkelingsniveau

As V dient voor het vastleggen van de manier waarop het kind ervaringen organiseert en de wijze waarop dit manifest wordt in het functioneren. Kan een jong kind bijvoorbeeld ervaringen organiseren in een mentale representatie (een multisensorisch en symbolisch beeld) zoals zichtbaar wordt in doe-alsof spel, of is het kind overgeleverd aan ontladingen van gedrag? Het ontwikkelingsniveau waarop het kind ervaringen structureert op het gebied van emoties, interacties, communicatie, cognitie en sensomotoriek wordt op deze As aangegeven.

In dit schema bestaat het ontwikkelingsniveau uit een aantal samenhangende basale processen, die elkaar in de ontwikkeling opvolgen maar die zich ook afzonderlijk verder ontwikkelen en complexer worden naarmate het kind ouder wordt.

Bijvoorbeeld: wederzijdse aandacht ontwikkelt zich eerst en zowel de duur alsook het vasthouden ervan onder complexere omstandigheden nemen toe naarmate het kind zich verder ontwikkelt. Een kind van 3 maanden oud kijkt naar de ouder, volgt deze gedurende 5 à 10 seconden en doet dit een paar maanden later 30 seconden lang, terwijl het daarnaast plezier en betrokkenheid kan tonen. Met 10 à 11 maanden gaat het kind daarbij ook nog een voorwerp al "spelend" heen en weer bewegen gedurende 1 à 2 minuten.

Als het kind de betreffende functies gaat beheersen is het van belang te beoordelen of het functioneel ontwikkelingsniveau is bereikt dat bij de leeftijd hoort. Het is tevens van belang, de omstandigheden na te gaan, waaronder het kind dit niveau beheerst.

Bijvoorbeeld: een kind is wel in staat alert te zijn, mee te doen met de ouder en in staat tot wederkerige interactie wanneer de omgeving rustig is. Is de omgeving echter rumoerig, dan haakt het kind af, dwaalt af of kiest voor speelgoed en vergeet daarbij de mensen om zich heen.

De cruciale processen of vaardigheden waaruit elk functioneel ontwikkelingsniveau is opgebouwd worden hieronder aangegeven. Ook wordt de leeftijd aangegeven waarop de afzonderlijke vaardigheden zich beginnen te ontwikkelen.

Wederzijdse aandacht: Alle leeftijden

Het vermogen om belangstelling in de wereld te tonen door te kijken en te luisteren wanneer tegen het kind wordt gepraat of tegenover adequate visuele, auditieve, motorische en tactiele prikkels. Het vermogen van het ouder-kind paar om zich op elkaar te richten en kalm en gefocust te blijven gedurende een bepaalde tijd is afhankelijk van de leeftijd van het kind: meer dan 5 seconden met 3 à 4 maanden, meer dan 30 seconden met 8 à 10 maanden, meer dan 2 minuten met 2 jaar en 15 minuten met 4 jaar.

Wederzijdse betrokkenheid: Tussen 3 en 6 maanden

Het vermogen tot gedeelde emotionele betrokkenheid, zoals blijkt uit blik, mimiek, synchroon bewegen van armen en benen en andere gebaren die plezier en affectieve betrokkenheid uitstralen. Dit is gewoonlijk goed ontwikkeld bij kinderen van 4 à 6 maanden. Naarmate de relatie zich ontwikkelt toont het kind een groeiend gevoel van veiligheid en welbehagen, belangstelling en nieuwsgierigheid naar de verzorger. Naarmate de ontwikkeling vordert neemt het scala aan getoonde emoties daarbij toe.

Intentie en wederkerigheid in de interactie: 6 tot 8 maanden

Het vermogen tot interactie op een wijze die gericht, intentioneel en wederkerig is, waarbij signalen zowel geïnitieerd als beantwoord worden. Het vermogen tot interacties met oorzaak-gevolg verbanden veronderstelt zowel sensomotorische vaardigheden als een emotioneel repertoire, zoals het uitsteken van de armen om te worden opgepakt, nieuwsgierigheid en exploratie, plezier in het aanraken van moeder's mond, uitingen van boosheid en protest, etc... Dit kan worden uitgelegd als het openen en sluiten van zogenaamde "communicatiecirkels". Bijvoorbeeld: het kind begint te kijken naar een voorwerp (opent een communicatiecirkel), de ouder reageert daarop door het voorwerp op te pakken, vlak voor het kind te plaatsen en met en brede glimlach: "kijk, hier is het" te zeggen. Vervolgens vocaliseert het kind, reikt naar het voorwerp of verandert van gelaatsuitdrukking (hij/zij sluit de communicatiecirkel door voort te bouwen op de respons van de ouder). Deze competentie is gewoonlijk aanwezig op de leeftijd van 8 maanden. Naarmate het kind ouder wordt nemen het aantal en de complexiteit van interacties toe: van het sluiten van 3 à 4 communicatiecirkels met 8-10 maanden tot het sluiten van 10 à 15 cirkels met 12-16 maanden en 20 à 30 cirkels met 20-24 maanden. Deze competentie dient verder toe te nemen met de leeftijd van 2-3 jaar (30 à 40 cirkels) tot 3-4 jaar (meer dan 50 cirkels).

Representaties/emoties worden gecommuniceerd: kinderen ouder dan 18 maanden

Het vermogen om mentale representaties aan te wenden voor de communicatie van emoties en ideeën, zoals blijkt uit taal en spel.
Bijvoorbeeld: doe-alsof spel waar de pop wordt gevoed of in bed gestopt, auto's die botsen, enzovoorts: met 18 à 24 maanden. Meer uitgewerkt en met gebruik van eenvoudige taal: met 30 maanden, zoals "mij boos" of "jou lief". Aanvankelijk zijn gebaren en taal concreet en functioneel, gerelateerd aan dagelijkse ervaringen en routines.

Representaties worden uitgewerkt: kinderen ouder dan 30 maanden

Vermogen tot uitwerken, zowel in doe alsof spel als in symbolische communicatie, van een aantal ideeën, die de basisbehoeftes en eenvoudige functionele thema's zoals hierboven beschreven overstijgen. Het kind toont het vermogen, om symbolische communicatie te gebruiken, om twee of meer emotionele ideeën gelijktijdig over te brengen zoals complexere intenties, wensen of gevoelens.
Bijvoorbeeld: thema's als intimiteit of afhankelijkheid, scheiding, exploratie, geldingsdrang, boosheid, trots of opschepperij. De ideeën hoeven niet logisch verbonden te zijn, bijvoorbeeld: vrachtwagens botsen en verpletteren elkaar en laden vervolgens blokken om een huis te bouwen.

Representaties worden gedifferentieerd, stadium I: ouder dan 36 maanden

Het vermogen om te gaan met complexe intenties, wensen en gevoelens in doe alsof spel of andere vormen van symbolische communicatie, waarbij twee of meer ideeën logisch verbonden worden. Het kind kan echt van onecht onderscheiden en kan gemakkelijk schakelen tussen fantasie en werkelijkheid. Met 36 maanden kan het kind symbolische communicatiecirkels sluiten in doe alsof spel alsook in gesprekjes.

Representaties worden gedifferentieerd, stadium II: ouder dan 42 maanden

Het vermogen tot uitwerken van complex doe-alsof spel en symbolische communicatie om complexe intenties, wensen en gevoelens uit te drukken. Bij het spel of de directe communicatie worden drie of meer ideeën logisch met elkaar verbonden. Het kind kan onderscheid maken tussen werkelijkheid en fantasie en rekening houden met begrippen zoals oorzaak, tijd en ruimte. Met 42 à 48 maanden kan het kind "hoe", "wat" en "waarom" hanteren, hetgéén leidt tot verdieping in de verhalen en gesprekken.

Richtlijnen voor beoordeling van het functioneel emotioneel ontwikkelingsniveau

De beoordeling op deze as dient gebaseerd te zijn op observaties van het kind in interactie met de ouder(s) of andere belangrijke verzorger(s). Tegen het einde van de evaluatie dient eveneens de kwaliteit van de interacties tussen observator en kind beoordeeld te worden en de door het kind bereikte niveaus.

Er is variatie in de tijdduur waarbinnen baby's en peuters bovengenoemde processen kunnen volhouden, alsook in de vereiste omstandigheden voor optimale betrokkenheid en handhaving van de kwaliteit van de relatie. Kinderen die verhoogd reactief en sensitief zijn voor bepaalde prikkels en afleidbaar zijn zullen niet goed in staat zijn tot wederkerige aandacht, tenzij de ouder veel rust kan inbrengen en het kind weer terug in interactie kan betrekken. Kinderen die te weinig reageren op prikkels of die eenzijdig focussen op (speel)voorwerpen in plaats van op hun ouders zullen weinig emotioneel betrokken raken (zoals dan zou blijken uit oogcontact en gedeeld plezier) tenzij de ouder overgaat tot sensomotorisch contact om enige betrokkenheid uit te lokken.

Bovengenoemde processen komen normaliter geleidelijk tot ontwikkeling, maar eenmaal voorbij de verwachte leeftijd kan het zijn dat ze zich bij de zuigeling, peuter of kleuter in een later stadium alsnog in verschillende gradaties ontwikkelen.

Voor de beoordeling van het functioneel emotioneel ontwikkelingsniveau zijn de volgende vragen van belang voor ieder niveau:

- Heeft het kind de voor zijn/haar leeftijd te verwachten capaciteiten betreffende die functies bereikt?
- Kan het kind op leeftijdsadequaat niveau reageren met affecten zoals plezier, boosheid, frustratie onder verschillende omstandigheden en onder stress, of wanneer de omgeving verwarrend of overprikkelend is?
- Kan het kind beter reageren wanneer de ouder de interactie ondersteunt met sensomotorische activiteiten (bijvoorbeeld schommelen, wippen, stevig aandrukken, zingen)?
- Kan het kind adequater reageren wanneer de ouder de mate van stress of verwarring in de omgeving aanpast door prikkels te verminderen (lawaai, licht, aantal mensen of speelgoed, etc...)?
- Moet de ouder extra bekwaam zijn of kan het kind zelf leeftijdsadequate interacties initiëren (zoals tijdens betekenisvolle sequenties van doe alsof spel)?
- Kan het kind zich staande houden in een uitvoerig gesprek over het hier en nu?

Met andere woorden, de functionele ontwikkelingsniveaus van het kind worden geëvalueerd met de vragen: of ze bij de leeftijd passen, hoe lang ze volgehouden kunnen worden en welke omstandigheden vereist zijn voor een optimale betrokkenheid van het kind.

Functioneel emotioneel ontwikkelingsniveau

Twee stappen zijn nodig voor de bepaling van het functioneel emotioneel ontwikkelingsniveau.

De eerste stap is de evaluatie van de kwaliteit van het spel en de interactie met belangrijke personen in het leven van het kind. De afzonderlijke niveaus die het kind heeft bereikt en de context waarbinnen dit gebeurt dienen hier te worden bepaald.

De tweede stap is de samenvatting van het totale functionele niveau. Beide worden hieronder beschreven.

Evaluatie van de kwaliteit van het spel en de interacties van het kind.

De niveaus worden bepaald aan de hand van observaties van de interactie van het kind met de ouders afzonderlijk (zo nodig met een andere verzorger) en met de onderzoeker. De niveaus kunnen in scores worden uitgedrukt voor klinische en research doeleinden. Elke persoon wordt geïnstrueerd om met het kind om te gaan zoals hij of zij normaal gewend is en dit gedurende tien minuten zonder onderbreking. Voor kinderen van twee jaar en ouder kan zo nodig de ouder worden aangemoedigd om te spelen of na vijf minuten doe alsof spel te initiëren. Er dient adequaat speelgoed beschikbaar te zijn.

Naarmate het kind ouder wordt dient naast het actuele niveau ook de voorafgaande niveaus geëvalueerd te worden.

1 Leeftijdovereenkomstig niveau onder alle omstandigheden en met een breed scala aan affecten.
2 Leeftijdsovereenkomstig niveau maar gevoelig voor stress en/of met beperkte affecten.
3 Beschikt over vaardigheden maar niet op leeftijdsovereenkomstig niveau, bijvoorbeeld: relatievorming zoals van een jonger kind
4 Behoeft duidelijke structuur of sensomotorische ondersteuning om de vaardigheid te tonen; deze komt anders wisselend en inconsistent naar voren.
5 Toont de vaardigheid nauwelijks, zelfs niet met ondersteuning.
6 Heeft het niveau niet bereikt.
   NVT: Niet van toepassing (dat wil zeggen het kind heeft nog niet de juiste leeftijd bereikt voor deze vaardigheid).

Functioneel Emotioneel Ontwikkelingsniveau

Wederzijdse aandacht:	Moeder	Vader	Anders	onderzoeker
Vermogen van ouder-kind paar om aandacht te delen met elkaar (alle leeftijden)				
Wederzijdse betrokkenheid:				
Vermogen om emotionele betrokkenheid te delen, zoals blijkt uit blik, mimiek en gebaren (3-6 maanden)				
Intentie en wederkerigheid in interactie:				
Vermogen interactie te initiëren en te beïnvloeden, signalen en reacties zijn actief gericht op signalen van de ander; veronderstelt sensomotorische patronen en een heel repertoire aan emotionele uitingen (6-18 maanden)				
Representaties/emoties worden gecommuniceerd:				
Vermogen mentale representaties te gebruiken, zoals blijkt uit taal en spel, om emotionele thema's en ideeën te communiceren (> 18 maanden)				
Uitwerking van representaties:				
Vermogen een reeks ideeën uit te werken, zowel in doe-alsof spel als in symbolische communicatie, die de dagelijkse behoeftes overstijgen en die meer complexe intenties, wensen of gevoelens bevatten; de ideeën hoeven niet logisch verbonden te zijn (> 30 maanden)				
Differentiatie van representaties I:				
Het kunnen omgaan met complexe intenties, wensen en gevoelens in doe alsof spel en symbolische communicatie, waarin ideeën logisch verbonden zijn; weten wat wel en niet echt is en kunnen schakelen tussen fantasie en werkelijkheid (>36 maanden)				
Differentiatie van representaties II:				
Vermogen complex doe-alsof spel en symbolische communicatie uit te breiden; zoals blijkt uit drie of vier ideeën die logisch met elkaar verbonden zijn, en waarin concepten zoals causaliteit, tijd en ruimte zijn verwerkt (> 42 maanden)				

Totaal Functioneel Emotioneel Ontwikkelingsniveau

Een totale beoordeling van het functioneel emotioneel ontwikkelingsniveau is primair gebaseerd op directe observatie van/en interactie met het kind. Verder is belangrijk om geïnformeerd te zijn over het functioneren van het kind thuis en elders, voordat het totale niveau wordt bepaald. Dit totale niveau is gebaseerd op het optimale functioneren van het kind, zelfs indien dit niet overeenstemt tussen alle verzorgers. De inconsistenties in functioneren worden tenslotte meegenomen in de beoordeling van het totale niveau.

1 Heeft verwacht niveau volledig bereikt.
2 Op verwacht niveau maar met beperkingen:
    a) Niet voor de volledige range van affecten: bijvoorbeeld geslotenheid, geldingsdrang, boosheid, angst en bezorgdheid.
    b) Niet in stress situatie.
    c) Uitsluitend met bepaalde verzorgers en niet met bekwame anderen, tenzij uitzonderlijke ondersteuning beschikbaar is.
3 Huidig verwacht niveau is niet bereikt maar wel alle voorgaande niveaus (aangeven welke).
4 Huidig verwacht niveau is niet bereikt, maar enkele voorgaande niveaus wel (aangeven).
5 Géén van voorgaande niveaus is bereikt.

Casus

Zeventien voorbeelden illustreren de toepassing van het diagnostisch profiel. Elk voorbeeld bevat een beschrijving van de problemen, een bespreking over de differentiaaldiagnose, implicaties voor interventie, en een diagnostisch profiel, met gebruik van vijf assen.

Deze casussen werden voorgedragen door deelnemers in de ZERO TO THREE/National Center for Clinical Infant programs Diagnostic Classification Task force, werkzaam in verschillende instellingen, inclusief ouder-kind centra, vroege interventie programma's centra voor ontwikkeling en geestelijke gezondheid van jonge kinderen, kinderpsychiatrische instellingen, en privé praktijken. De besprekingen van interventies bevatten geen specificatie van het type setting of discipline welke bij de casus zijn betrokken. In plaats daarvan worden aanwijzingen gegeven over de vragen die behandeld dienen te worden met een dergelijk kind en diens gezin.
De interventie achter iedere casusbeschrijving is bedoeld als illustratie van het type benadering die aan de behoeften van het individuele kind en zijn/haar gezin zou kunnen beantwoorden, zoals beschreven in de casus en samengevat in het diagnostisch profiel. Andere benaderingen zouden eveneens mogelijk kunnen zijn. Een meer definitieve bespreking van de therapeutische benaderingen voor verschillende problemen zal gepresenteerd worden in een toekomstige publicatie van ZERO TO THREE Diagnostic Classification Task Force, met gedetailleerde casusbeschrijvingen en behandelrichtlijnen.

Casus 1 Sally

Beschrijving
De lichamelijke, emotionele en cognitieve ontwikkeling van Sally verliep vlot tot de leeftijd van 26 maanden.
Toen werden aan haarzelf, haar broertje van 6 maanden oud en haar 32-jarige moeder verschillende steekwonden toegebracht door haar vader, die een acuut psychotische episode doormaakte. Na de heelkundige ingreep werd Sally hyperalert, weigerde te gaan slapen en had herhaaldelijk nachtmerries. Ze werd gerust gesteld en werd geleidelijk minder vaak wakker 's nachts. Ze kon nooit

vertellen wat de inhoud van haar enge dromen was. Uit haar spel werd duidelijk dat ze erg verward was over de aanval en over wie nu precies de aanvaller was geweest.

Wanneer Sally moeder ging bezoeken in het ziekenhuis, riep ze hard "nee" en eiste ze teruggebracht te worden naar haar eigen kamer. Sally werd dan gerust gesteld. Er werd haar precies verteld wat er was gebeurd en waar de verschillende leden van haar gezin waren. Niettemin bleef ze de verwarrende gebeurtenis uiten via spel. Gedurende de verschillende sessies bleek ze regelmatig in verwarring te verkeren over wie haar nou de steekwonden had toegebracht. Ze wisselde tussen verschillende aanvallers: moeder, de therapeut, een onbekende. Het herspelen van de traumatische gebeurtenis was stereotiep, warbij vrijwel geen andere thema's noch andere spelvormen aan bod kwamen. Ze werd meer teruggetrokken en passief. Hoewel haar algemene vaardigheden niet leken af te nemen, verwierp Sally taakjes waaraan ze voorheen met plezier aan werkte, met de boodschap dat ze het niet meer kon of dat het te moeilijk was.

Bespreking
De diagnose van een posttraumatische stressstoornis is evident. Sally was een aantrekkelijk, pienter meisje, die tot dan een goede ontwikkeling doormaakte en gezonde relaties kon onderhouden. Over de redenen voor haar verwarring met betrekking tot de identiteit van de aanvaller, kan enkel gespeculeerd worden. Misschien voelde ze dat haar moeder haar had moeten beschermen, aangezien moeder de primaire hechtingsfiguur was en Sally nog niet beschikte over verschillende rolmodellen. Bovendien kon ze niet begrijpen hoe haar vader, totaal onverwacht, een agressor kon zijn.

Als zij het trauma en haar verwarring naspeelde, veranderden haar houding en stemming niet. Tenslotte werd duidelijk dat zij dit probleem niet zelf kon oplossen waarna ze zich toenemend hulpeloos ging voelen.

Deze diagnose van een posttraumatische stressstoornis krijgt voorrang op andere diagnoses. Indien tijdens de behandeling andere problemen aan het licht komen, zal deze informatie worden toegevoegd.

Interventie
Crisisinterventie volgde onmiddellijk na de hospitalisatie, zowel voor Sally, als voor haar moeder en broertje. Het is evenwel duidelijk dat de therapie gecontinueerd moest worden zolang als nodig was. Het feit dat Sally steeds meer moeilijkheden vertoonde, was een indicatie voor het starten van speltherapie in aanwezigheid van haar moeder. Op die manier kon moeder leren via symbolisch spel Sally te helpen haar trauma te verwerken. De nadruk lag eveneens op het veilig kunnen uiten van angst en agressie.

Gezien de ontwikkelingsfase van Sally, waar thema's van angst en agressie inherent aan zijn, is het noodzakelijk dat het trauma kan worden doorgewerkt, zodat de emotionele ontwikkeling niet in het gedrang komt en zodat effectieve coping-strategieën aangeleerd kunnen worden.

Voor Sally's moeder wordt individuele therapie geadviseerd, aangezien het bespreken van haar gevoelens in de nabijheid van haar kinderen beperkt moet blijven. Moeder wordt ook begeleid om problemen op het thuisfront aan te pakken, om hen opnieuw een gevoel van veiligheid te laten ervaren, om een manier vinden om weer over de vader te kunnen praten en hoe te handelen indien hij in de toekomst niet meer psychotisch zou zijn.

Diagnostische Impressie
As I: Post traumatische stoornis
As II: Ouder-kind relatiestoornis: fysieke mishandeling door vader, geen relatiestoornis met moeder
As III: Verwondingen
As IV: Psychosociale stressfactoren: zeer ernstige impact
As V: Functioneel emotioneel ontwikkelingsniveau: op verwacht niveau met enkele beperkingen

Casus 2 Richard

Beschrijving
Richard, bijna 4 jaar oud, gedroeg zich thuis als een "tiran", zijn ouders commanderend en er telkens op aandringend dat alles gebeurde op zijn manier.
Op school, in tegenstelling tot thuis, gedroeg hij zich als een "plezierige en beleefde"jongen die goed overweg kon met andere kinderen. Met zijn ouders speelde hij geen fantasiespel, wel met zijn vriendjes.
Op de leeftijd van 36 maanden werd hij zindelijk na een moeilijke periode van smeren met poep. Twee maanden later echter begon hij opnieuw zijn broek te bevuilen, telkens een beetje en ging hij tien keer per dag naar de wc. Op het moment dat dit gedragspatroon optrad, was Richard's jongere broer juist begonnen met kruipen.
Moeder beschouwde de relatie tussen haar en Richard als warm en liefdevol, al toonde hij haar weinig tot geen affectie of knuffelde hij haar niet veel. Hij genoot van stoeien met zijn vader. Richard's taal was goed ontwikkeld, maar hij was een late loper (18 maanden), zijn motorische coördinatie was zwak en er was een lichte vertraging in de fijne motoriek. Zijn ouders herinnerden zich ook dat zij er hard aan moesten trekken om wederkerigheid in de communicatie tot stand te brengen aangezien Richard de neiging had erg passief te zijn. Tijdens zijn peuterjaren bleek hij ook weinig assertief en negatief ingesteld, al was hij wel in staat complexe interacties aan te gaan. Hij was een vroege prater en kon zichzelf duidelijk maken op dwingende wijze (geef me dat!), maar ging nog steeds op een negatieve en passieve wijze om met conflicten.
Vader vond dat hij een nauwe band had met zijn zoon, hoewel vooral moeder zich bezighield met de dagelijkse beslommeringen. Hij was een warm persoon, die gespannen en angstig overkwam, maar zeer betrokken op Richard was. Moeder was een zachte en eveneens warme persoon, die echter zeer gespannen leek, zeker op het gebied van orde en netheid. Hij herinnerde zich

hoe de geur van stoelgang haar als kind had doen walgen. Beide ouders leken zich te realiseren dat hun eigen spanningen en angsten hierover mede konden bijdragen aan het zindelijkheidsprobleem.

Richard kwam over als een aardige, zeer rustige, maar onzekere jongen. Hij stelde zich nogal passief op tijdens het praten, maar was duidelijk betrokken, warm en vol vertrouwen. Hij had geen stemmingswisselingen, een goede impulscontrole en goede aandacht. Zijn affectieve bereik daarentegen was beperkt, uitingen van blijdschap of boosheid waren weinig intens. Hij speelde met poppen, die hij onderverdeelde in "goede" die elkaar knuffelden en in "slechte" die met elkaar vochten. Dan veranderde hij één slechte pop in een monster die alle andere poppen op vrat. Na deze agressie ontstond dan een spel met een "moederpop" die op zoek was naar haar "baby pop" en vond hij vervolgens een walvis die op het dak sliep van een huis waarin kinderen aan het spelen waren. Zijn spel bestond uit korte fragmenten en thema's, van ongeveer 2 minuten, zonder dat duidelijk werd wat er ging gebeuren, buiten een schijnbaar gevaar waarover hij niet verder uitweidde. Later werden thema's van kapotte voorwerpen (een pop zonder arm en been die wilde springen) afgewisseld met thema's van macht en prestaties (een raket die naar de maan vliegt). Hij sprak ook over bang zijn in het donker, vooral 's nachts, maar kon hier niet meer over zeggen. Hij sprak over zijn boosheid naar ouders toe indien deze boos op hem waren en ontkende gevoelens van ongeduld of jaloezie ten aanzien van zijn jongere broertje. Spontaan vertelde hij het avondeten en toetje fijn te vinden.

Discussie
De moeilijkheden van Richard wezen op een aantal ontwikkelingsproblemen die naar voren kwamen in de vertraagde grove en fijne motorische ontwikkeling en zwakke motorische planning. Hoewel hier geen sprake was van regulatieproblemen, droegen deze toch bij tot een gevoel van onzekerheid over zijn lichaam.

De vertraging in zijn motorische ontwikkeling hing ook samen met het moeilijk kunnen automatiseren van bepaalde functies, wat hem zeer beangstigde. Daar kwam nog bij dat hij de neiging had passief vermijdend met frustraties om te gaan, in plaats van de confrontatie aan te gaan. Dit zien we vaker bij kinderen die weinig vertrouwen in zichzelf hebben vanwege hun motoriek.

Zijn ouders waren wel betrokken, maar het was moeilijk voor hen om hem assertiviteit en zelfvertrouwen aan te leren. Zij hadden ongewild zijn passiviteit aangemoedigd door het van hem over te nemen. Noch de ontwikkelingsproblemen, noch de ouders en omgevingsfactoren, waren ernstig genoeg om de vooruitgang in zijn emotionele ontwikkeling te belemmeren. Maar hij werd niet voldoende gestimuleerd om de agressieve en assertieve aspecten van zijn belevingswereld te uiten. Zijn fantasiespel was eerder onsamenhangend, dan een mooi aansluitend geheel. Hier kwamen de angsten en negatieve gevoelens nog bij van moeder rond zindelijkheidstraining en de geur van stoelgang, en vader's moeite om meer betrokken te raken bij deze zaken. Het symptoom van herhaaldelijke wc-bezoeken, zijn interesse in smeren en ruiken, was kenmerkend voor zowel zijn passieve en vermijdende reacties ten aanzien van zijn ouders als voor zijn moeite met assertief zijn.

Richard's angsten, die tot uiting kwamen in zijn passiviteit, vermijdend gedrag, tiranniek gedrag en aanhoudende problemen met sfinctercontrole, interfereerden met leeftijdsadequaat functioneren en resulteerden in beperkt affect.

Interventie

Richard beschikt over goede symbolische capaciteiten maar moet leren om zijn fantasie, gedachten en gevoelens uit te bouwen. Individuele speltherapie, samen met zijn ouders, zou de familie kunnen helpen veilige en aanvaardbare manieren te ontdekken om met agressieve thema's om te gaan en om meer symbolische expressie te geven aan conflicten. Dit zou kunnen bijdragen aan de ontwikkeling van spel en communicatie tijdens Richard's verdere ontwikkeling.

Therapie zou ook de familieleden kunnen ondersteunen in de omgang met hun gevoelens. Afzonderlijke ouderbegeleiding is belangrijk om de ouders te steunen in hun rol als ouder, in het onderkennen van conflicten en projecties en het zoeken naar wegen om Richard te helpen, ook wat betreft het stellen van grenzen. Verder is psychomotorisch onderzoek geïndiceerd om de ernst van Richard's sensomotorische en motorische problemen te beoordelen en om een thuisprogramma voor te stellen, met zo nodig consultatie en therapie, gericht op ondersteuning van de sensorische en motorische aspecten van Richard's ontwikkeling.

Diagnostische Impressie

As I: Angststoornis

As II: Hoewel de relatie verstoord is op diverse gebieden, is dit niet dusdanig ernstig of pervasief dat van een stoornis gesproken kan worden.

As III: Geen

As IV: Psychosociale stressfactoren: milde impact

As V: Functioneel emotioneel ontwikkelingsniveau: op verwacht niveau met enkele beperkingen

Casus 3 Ben

Beschrijving

De leidster van Ben had opnieuw contact opgenomen. Ben bleef slaan en bijten. De andere kinderen van zijn groep waren bang voor hem. De enige plaats waar Ben zich rustig kon bezighouden in de groep was de knutselhoek. Hij maakte er mooie kleurrijke tekeningen die hij tot in details kon beschrijven.

De ouders van Ben ondervonden geen problemen met hun eerstgeborene tot de start in de peuterspeelzaal. Ben was daarmee begonnen vlak na de geboorte van zijn zusje, wat in het ontstaan van zijn woedebuien mogelijk een belangrijke rol speelt. Naarmate zijn zus actiever werd, werd Ben eveneens actiever, en vond zijn frustratie een uitweg in slaan, haar omverduwen of bijten. Andere kinderen werden bang om met hem te spelen. In het bijzijn van zijn ouders pikte Ben de regels en afspraken omtrent toelaatbaar gedrag goed op, hij herhaalde deze en uitte goede voornemens, maar feitelijk reageerde Ben impulsief en was hij zich van geen kwaad bewust. De omgeving reageerde boos en angstig. Na heel wat loze beloftes en time outs besloten de ouders om hulp te zoeken.

Tijdens de eerste evaluatie kwam dit blonde 3-jarige jongetje erg angstig over. Hij leek intelligent en temperamentvol. Ben was nieuwsgierig en stelde een heleboel vragen over het speelgoed welk hij stuk voor stuk uitprobeerde zonder tot uitbouw van spel te komen. Met ondersteuning van de onderzoeker lukte het Ben om met de dokterstas een eenvoudig spelthema uit te werken. Ben knipte de bezeerde voet van de pop af, daarna bemerkte hij de dieren en zei: "De zebra is boos en bijt omdat mama en papa slaan." Ben zette vervolgens alle gevaarlijke en lieve dieren in twee aparte rijen.

Tijdens symbolisch spel koos Ben steeds voor boze, agressieve figuren die in de problemen raakten tenzij zij alleen konden zijn. Ben gaf meestal antwoord op vragen die betrekking hadden op zijn spel, maar hij ging nooit spontaan interactie aan. Hij begreep signalen en gebaren niet tenzij deze geverbaliseerd werden. In zijn spel werden gevaarlijke krokodillen en bomexplosies afgewisseld met veilige figuren, zoals een berenfamilie, waarmee hij thema's uit zijn dagelijks leven naspeelde, en waarin hij streed om goed te zijn en veiligheid te vinden in de boze buitenwereld. Hij was altijd angstig en was niet in staat emoties te uiten die betrekking hadden op genegenheid, intimiteit of afhankelijkheid.

Bij nader onderzoek van Ben's gedrag rees het vermoeden van verschillende onderliggende problemen op het gebied van prikkelverwerking. Ben raakte in paniek als plots iemand te dicht in zijn buurt kwam, maar voelde zich veilig als hij zelf fysiek contact kon initiëren. Vooral in de vroege ochtend nam hij initiatief tot knuffelen. Zelfs bij mensen die hij goed kende trok hij zich terug als deze toenadering zochten, hij vroeg hen dan om hem niet aan te raken. Als hij met speelgoedfiguren speelde wilde hij er in elke hand een vasthouden en mocht hij de enige zijn die de figuurtjes deed bewegen. Terwijl hij in actie was leek hij geen aandacht te hebben voor hetgeen tegen hem werd gezegd. Hij was gevoelig voor omringende geluiden, was gemakkelijk afgeleid en traag in zijn oriëntatie wanneer hij angstig probeerde uit te zoeken wat hij gehoord had.

Rekening houden met andermans eigen ruimte kostte hem moeite: hij gaf regelmatig een por, botste tegen andere kinderen aan en zocht op een ongepaste manier contact. Ben was bovendien klein voor zijn leeftijd, had de neiging om met geïnverteerde voeten te lopen, had een zwakke spiertonus en motorische planningsproblemen.

Moeder gaf aan dat Ben altijd al een slechte slaper en eter geweest was. Hij had bovendien een lage frustratietolerantie en huilde snel. Hij had een hekel aan bruuske bewegingen en plots hoog in de lucht getild te worden. Ben was snel begonnen met lopen (10 maanden) na een korte kruipfase. Vanaf het ogenblik dat Ben was gaan lopen waren de eerder genoemde problemen minder op-vallend en minder onderwerp van zorg geworden. Naarmate Ben meer in de problemen raakte, nam moeder een overbeschermende rol op zich waarin zij voortdurend als buffer probeerde te fungeren tegenover de groeiende kritiek en boosheid van de directe omgeving, door zijn moeilijkheden goed te praten. Keer op keer praatte zij geduldig met Ben die haar beloofde flink zijn best te zullen doen. De moeilijkheden van Ben beangstigden haar omdat ze haar de-den denken aan de handicap van haar broer. Zij probeerde de moeilijkheden zoveel mogelijk te bagatelliseren voor de buitenwereld.

Vader reisde veel en trok zich steeds meer terug in een poging om zijn eigen boosheid en identificatie met Ben uit de weg te gaan. Als hij met Ben speelde werd vaak gekozen voor spelletjes met strikte regels en grenzen. In zijn vaar-digheden toonde Ben zich dan voorlijk. Beide ouders waren zich bewust van het feit dat Ben hen aan henzelf deed denken (vader) of aan iemand in hun familie (de broer van moeder.). De relatie van de ouders kwam onder druk te staan naarmate de problemen van Ben verergerden. De ouders hadden eerder de neiging zich terug te trekken of overmatig te compenseren dan in fysieke mishandeling te vervallen.

Verdere observaties (van de problemen bijvoorbeeld die Ben ondervond als hij in beide handen tegelijkertijd een speelgoedfiguurtje vasthield) waren sug-gestief voor problemen met motorische planning en visueel-ruimtelijke oriën-tatie. Daarnaast had Ben er moeite mee om zijn blik en handelingen te coör-dineren en kon hij hierdoor moeilijk ruimte en afstand inschatten en bewe-gingen afgrenzen. Deze problemen resulteerden in een uitgesproken spanning aangezien Ben op visueel vlak tegenstrijdige informatie ontving. Hij kon zijn gezichtsvermogen niet efficiënt aanwenden om zijn bewegingen te sturen of de handelingen van anderen correct in te schatten. Er was eveneens sprake van verminderde spiertonus en tactiele overgevoeligheid. Ben's aanpassingen aan de buitenwereld waren erg fragiel. Hij probeerde met deze onzekerheid om te gaan door zich agressief op te stellen.

Bespreking

Ben was impulsief en agressief, op zichzelf kenmerkend voor gedragsproble-men en gedragsstoornissen. Hij was boos op de wereld die continu kritiek op hem had en was afhankelijk van zijn beschermende moeder voor steeds hernieuwde "kansen" om het beter te doen. Omdat hij angstig was geworden zocht hij zijn toevlucht tot een aanvallende houding als bescherming tegen mogelijke aanvallen van buiten.

Op driejarige leeftijd had hij een zelfbeeld ontwikkeld van een slecht, boos jongetje zonder vriendjes. Terwijl de interactiepatronen in de thuissituatie toe-nemend verstoord raakten leken deze niet de oorzaak van zijn probleem te zijn.

Naarmate Ben geleidelijk aan meer met de overrompelende buitenwereld ge-confronteerd werd, werd hij in toenemende mate reactief. Gezien de consti-tutionele en op rijping gebaseerde regulatieproblemen die Ben reeds vanaf de geboorte had ervaren kon hij niet goed omgaan met de toegenomen sensorische prikkels en de emotionele druk die samengaan met de geboorte van een zusje en de sociale problemen op school. Dit alles resulteerde in gedragsproblemen.

Interventie

Ben zou baat hebben bij speltherapie en ergotherapie met de focus op sensorische integratie om hem te helpen bij zijn overgevoeligheid voor prikkels en zijn zwakke motorische planning. Onderzoek van zijn gezichtsvermogen zou eveneens geïndiceerd zijn om na te gaan wat het aandeel hiervan is op zijn visueel-ruimtelijke problemen. In speltherapie kan Ben leren om zich op een veilige manier te uiten op symbolisch vlak. Hierbij kan hij tevens strategieën aanleren om beter om te gaan met de uitdagingen die hij tegenkomt in het dagelijks leven. Therapie zou eveneens meer zelfbewustzijn en reflectie ondersteunen. In Ben's geval zou een langdurige speltherapie daarnaast geïndiceerd kunnen zijn voor de nodige ondersteuning tijdens zijn ontwikkeling in de peutertijd.

Het betrekken van de ouders in de behandeling zou Ben's symbolische expressie kunnen bevorderen en zou Ben op een veilige manier de controle kunnen geven en meer grip op de realiteit en de verwachtingen van de buitenwereld. Ouderbegeleiding is noodzakelijk om hen te leren omgaan met de gedragsproblemen van Ben, zijn jaloezie ten aanzien van zijn zusje, en om te leren omgaan met schuldgevoelens, boosheid, frustraties en angst. Eveneens is het van belang om de leidster bij de behandeling te betrekken omdat Ben's gedrag gemakkelijk geïnterpreteerd kan worden als "helemaal negatief" of als een tekortkoming van de ouders in het stellen van grenzen. Het zal de leidster helpen om oog te krijgen voor de sterke en zwakke kanten van Ben en de aanpak op de peuterspeelzaal aan te passen zodat conflicten voorkomen worden en Ben's zelfgevoel wordt ondersteund.

Diagnostische Impressie

As I: Regulatiestoornis: motorisch gedesorganiseerd, impulsief: type III
As II: Ouder-kind relatiestoornis: neiging tot overbetrokkenheid (niet aanwezig bij tweede kind)
As III: Geen diagnose
As IV: Psychosociale stressfactoren: milde impact
As V: Functioneel emotioneel ontwikkelingsniveau: op verwacht niveau behalve in stresssituaties en bij bepaalde emoties

Casus 4 Robert

Beschrijving

Robert, een 16 maanden oude peuter werd verwezen voor evaluatie vanwege voedselweigering en groei achterstand (failure to thrive). Hij was het eerste kind van hoog opgeleide ouders die jaren van fertiliteitbehandeling ondergingen alvorens moeder zwanger werd. Hij werd à term geboren zonder complicaties. De moeder bleef gedurende twee maanden thuis en ging daarna in deeltijd aan het werk. Er kwam iemand in huis om voor Robert te zorgen. Vanaf de geboorte was hij een alerte en nieuwsgierige baby, maar toonde hij weinig interesse in voedsel. Ondanks het feit dat hij slechts 9 tot 12 cl. melk per keer dronk, groeide hij goed (op het 25e percentiel voor lengte en gewicht) en dit tot hij negen maanden oud was. De motorische ontwikkeling was gemiddeld: hij zat met 6 maanden, kroop met 9 en liep zelfstandig met 13 maanden. Hij zei de eerste woordjes met 9 maanden en had een woordenschat van 50 woorden op het tijdstip van de evaluatie.

Rond 8 maanden begon zijn weigering om de mond te openen bij het voeden met een lepel. Aanvankelijk kon hij nog afgeleid worden en opende hij zijn mond onbewust, maar naarmate hij ouder werd, trachtte hij uit de kinderstoel te kruipen, te krijsen en met het eetgerei te gooien als hij zijn zin niet kreeg. Pogingen werden ondernomen om hem eten te geven terwijl hij rondliep in de kamer of op iemands knie zat. Ondanks alle lieve woordjes, afleiding en overredingskracht was Roberts voedselinname beperkt; zijn melkflesjes bleven de grootste bron van calorie-inname. Tegen het tijdstip van de evaluatie waren zijn lengte en gewicht onder het 5^e percentiel gezakt.

Observatie van eet- en spelsituaties bracht interessante patronen aan het licht. Aanvankelijk protesteerde hij als hij in zijn kinderstoel werd gezet, maar kwam tot rust bij zijn moeder en de kinderoppas. Wanneer hij echter door zijn vader in de stoel werd gezet, nam de intensiteit van het gehuil toe, tot vader hem eruit tilde en hem op zijn knie zette. Bij iedereen die hem voedde, toonde hij weinig interesse voor voedsel. Na enkele happen zei hij nadrukkelijk "uit" of "op de grond" waarna vader hem onmiddellijk eruit haalde en hem in de kamer liet rondlopen. Zijn moeder ging hem dan met verhoogde inspanning af leiden en aanmoedigen tot hij weer van "uit", "uit" ging dreinen. Dan nam zij hem uit de stoel en probeerde ze hem al lopend te voeden. De kinderoppas daarentegen bleef kalm en zei tegen Robert dat hij in zijn stoel moest blijven. Toen hij ging huilen bleef ze rustig en kalm wachten. Onder het huilen keek Robert haar aan, klaarblijkelijk om haar reactie op zijn verdriet te peilen en toen zij naar hem glimlachte, stopte hij met huilen en begon een poosje later met de vingers uit zijn bord te eten.

Roberts gedrag was een weergave van wat er thuis voorviel. Hij at het best bij de kinderoppas, een beetje bij de moeder maar was bij vader alleen uit op interactie zonder te eten. Robert's spel met alle drie was prachtig om te zien. Op de Bayley Schaal haalde Robert een ontwikkelingsindex van 125 en een motorische index van 105. Hij was een nieuwsgierige, innemende en sociaal gevoelige jongen met een van meet af aan sterke wil en doorzettingsvermogen die steeds duidelijker werden de laatste maanden.

Uit de familieanamnese van zijn ouders bleek dat de moeder van moeder aan psychotische depressies leed. De ziekte van grootmoeder zorgde voor een zware druk gedurende moeders kindertijd hoewel haar vader erg ondersteunend was en de ontwrichting in het gezinsleven zo goed mogelijk probeerde op te vangen. Vader kwam uit een stabiel middenklas gezin, maar ervoer zijn ouders als streng en kil. Roberts ouders hadden een sterke huwelijksband, zij begrepen en ondersteunden elkaar. Beiden waren erg gevoelig en beseften dat ze vanuit hun eigen jeugdervaringen erg toegevend naar hun zoon waren. Ze vonden het moeilijk hem iets te verbieden en stelden weinig grenzen. De ouders voelden ook aan dat het jarenlange verlangen naar een kind hen kwetsbaar maakte in hun reacties op Robert's voedselweigering.

Discussie

Robert is een slimme, sociaal gevoelige jongen met een sterke eigen wil die van meet af aan al erg geïnteresseerd leek in de buitenwereld en zich weinig bewust was van zijn eigen hongergevoel. Dit tekort aan bewustzijn werd problematisch toen hij 8 maand oud werd. Zijn nieuwsgierigheid en exploratiedrang werden intenser en hij leerde zijn verzorgers te bespelen door te protesteren wanneer hij in zijn stoel werd gezet. Daar zijn cognitieve vermogens zich snel ontwikkelden, nam zijn controle toe en handhaafde hij zijn autonomie door voedselweigering. Omdat zij ouders steeds angstiger werden met betrekking tot zijn beperkte voedselinname, lieten deze zich verleiden tot ineffectieve interactiepatronen tijdens het eten. Dit leidde tot verdere externe regulatie van Roberts eetpatroon en versterkte zijn onvermogen om fysiologische hongergevoelens te herkennen en deze te onderscheiden van zijn eigen wens om aandacht en controle. Hierdoor kon Robert geen differentiatie ontwikkelen tussen lichamelijke en psychologische behoeften, een gemis dat leidde tot inadequate voedselinname. Alle andere aspecten van zijn ontwikkeling, met inbegrip van slaapregulatie waren leeftijdsadequaat of voorlijk.

Interventie

Het evaluatieproces zelf belicht de ineffectieve interactiepatronen die geleidelijk zijn ontstaan toen Robert 2 jaar werd en die de basis zullen vormen voor de ontwikkeling van een eetprogramma dat meer bevorderlijk zou zijn voor het herkennen van het eigen hongergevoel. Daarbij is overleg over bredere emotionele en ontwikkelingskwesties met de ouders vereist. Om de gewenste richtlijnen en grenzen die ze zouden moeten gebruiken te ondersteunen, dienen de ouders hun betrokkenheid tijdens het spel en andere interacties met Robert te intensiveren. Zij dienen ook de machtsstrijd om te buigen in ondersteuning ten gunste van de verbeelding en de symbolisatie van emoties. Dit zou Robert helpen om de wereld van symbolen binnen te treden ter bevordering van de ontwikkeling van een betere gedragsorganisatie en zelfregulatie.

Diagnostische Impressie

As I: Stoornis in eetgedrag
As II: Geen stoornis
As III: Geen
As IV: Psychosociale stressfactoren: milde impact
As V: Functioneel emotioneel ontwikkelingsniveau: heeft verwachte niveaus
        bereikt

Casus 5 Alex

Beschrijving

Alex, een negen maanden oude blanke baby (acht maanden oud, gecorrigeerd voor de prematuriteit), werd verwezen door de neuroloog voor evaluatie na zijn elfde hospitalisatie voor episodes van bradycardie met apneu en convulsies. Hij wordt tevens behandeld wegens chronische otitis media en gastro-oesophagale reflux. Hij krijgt als medicatie fenobarbital met continue monitorbewaking omwille van moeders angsten, ondanks medisch advies om de monitor te staken. Alex woont samen met zijn moeder van 32 jaar oud, en zijn oudere zus van 9 en broer van 8 jaar. Sinds zijn geboorte werd hij gemiddeld één keer per maand gehospitaliseerd in verband met trekkingen, staren en aanvallen van hypotonie (ondanks het toedienen van adequate doseringen fenobarbital). Hij heeft reeds verschillende EEG's, video EEG's en een metabole screening doorgemaakt, die niets opleverden. Daarbij komt nog dat geen enkele professionele hulpverlener ooit getuige is geweest van een aanval. Moeder rapporteert dat de aanvallen wel zijn gezien door vrienden en familie. Moeder vertelt dat zij op verschillende tijdstippen gedurende de dag voorkomen en dat zelfs CPR (cardio-pulmonaire reanimatie) vereist was.

Alex was het gevolg van een verkrachting. Dit gegeven speelt een belangrijke rol in de relatie van moeder met Alex. Vroeg in de zwangerschap, weet moeder het uitblijven van haar menstruatie aan stress ten gevolge van de verkrachting, maar later bleek dat zij drie maanden zwanger was. Ze verklaarde dat ze zeer hard getwijfeld heeft over een abortus, maar "mijn kinderen overtuigden mij ervan de baby te houden". Ze beschreef sterke ambivalente gevoelens naar dit kind. Ze maakte zich vooral zorgen over de mogelijkheid dat haar kind van gemengd ras zou zijn: "gezien ik de verkrachter niet zien kon, wist ik niet of hij zwart, blank of Latijns-Amerikaans was, …". Verder maakte zij zich zorgen om Alex' gezondheid.

Moeder verklaarde dat Alex een gelukkige baby was. Ze voelde dat zij meer van hem hield dan van haar andere kinderen, gezien zij meer tijd met hem kon doorbrengen dan zij ooit met één van haar andere twee kinderen had doorgebracht, die enkel een jaar scheelden in leeftijd.

Zij verklaarde dat hij een "normaal" kind zou zijn, als er geen medische problemen zouden zijn. Verder schreef zij op een intake verslag dat "Alex is het leven na een verkrachting".

Moeder had één buitenbaarmoederlijke zwangerschap gehad, negen miskramen en had nu drie kinderen. Één kind stierf na zes weken, door respiratoire problemen. Zij vertelde dat al haar zwangerschappen gecompliceerd werden door premature geboorte. Tijdens de zwangerschap van Alex, ontving moeder regelmatige prenatale zorg vanaf de derde maand; ze ontkende enig gebruik van alcohol of tabak. Zij nam alleen fenobarbital als medicatie, in verband met tonisch-clonische aanvallen die ontstaan waren na een auto ongeval op de leeftijd van 17 jaar. Zij rapporteerde betrokken geweest te zijn bij een ander verkeersongeval terwijl ze 5 ½ maanden zwanger was van Alex. Hoewel zij geen ernstige verwondingen opliep, vertelt moeder dat het stuur "in de baarmoeder gedrukt stond". Als gevolg van het ongeval, vertelt moeder, had zij een gedeeltelijk beschadigde placenta en vroegtijdige weeën activiteit, welke gecontroleerd werden tijdens een opname en medicatie. Alex werd geboren na 36 weken zwangerschap via een keizersnede, zonder postnatale complicaties; de APGAR scores zijn onbekend.

Moeder ondervond weinig steun van haar familie zowel tijdens de zwangerschap, als na de geboorte van Alex. Zij wijt dit voornamelijk aan het feit dat Alex het gevolg is van een verkrachting. Zelfs nadat de familie wist dat hij niet van gemengd ras was, was het pas vanaf de leeftijd van 2-3 maanden, na zijn eerste "echte aanval", dat hij volledig geaccepteerd werd door de familie. Tot op dat moment mocht zijn naam niet genoemd worden in aanwezigheid van de familieleden. De kinderen hielpen mee met het bedenken van de naam Alex. Hij kreeg dezelfde naam als het broertje dat vroegtijdig gestorven was.

Moeder rapporteert dat het met Alex de eerste 4 weken goed ging, tot het moment dat hij tijdens zijn badje zijn eerste aanval van ademnood kreeg. Zij uitte de zorg dat zij misschien water in zijn gezichtje had gesprenkeld of dat hij onder water gedoken zou zijn, alhoewel zij zich niet kon herinneren dat zoiets gebeurd was. Zij gaf ook aan dat "je weet dat er maar enkele druppels water nodig zijn om een baby te verdrinken" (ziekenhuisverslagen melden geen vocht in de longen, na deze eerste episode). Verslagen melden geen bijzonderheden bij lichamelijk onderzoek behoudens een soms vertraagde hartslag, enkele apnoe- aanvallen, en dat hij aan de monitor werd gelegd.

Verder maakt moeder zich zorgen over zijn eet- en slaappatroon en de separatieangst. Zij vertelt dat Alex moeite heeft met slikken en dat de overgang naar vaste voeding moeilijk verloopt. Zij uit ook haar angst dat Alex zich zou verslikken en zou stikken (in een vorige evaluatie werd moeder reeds geadviseerd om vaste voeding te geven, maar zij had dit advies niet opgevolgd). Verder vertelt zij dat hij niet langer dan 2 uur aan één stuk door slaapt. Haar derde zorg is dat "Alex niet alleen kan zijn". Ook meldt zij: "niemand anders mag hem vasthouden". Moeder vertelt dat zij Alex niet kan achterlaten, want dat een hulpverlener geen CPR zou kunnen toepassen.

Moeder was zeer angstig terwijl ze haar zorgen om Alex telkens weer herhaalde. Niet in staat de sterke kanten van haar goed ontwikkelde baby te zien, projecteerde moeder haar eigen angsten om beschadigd te worden op hem. Wanneer haar gevraagd werd te praten over haar eigen gevoelens, ontkende zij zich enige zorgen te maken om zichzelf en schakelde zij over naar Alex.

Observatie van moeder en Alex op de leeftijd van 9 maanden toonde een aantrekkelijke, goed doorvoede en betrokken baby die op een getrokken en wederkerige manier reageerde.

Moeder en kind leken goed op elkaar afgestemd en Alex reageerde duidelijk positief op de stem van zijn moeder en haar mimiek. Hij had ook aandacht voor zijn omgeving en was uit op exploratie, hoewel hij vast zat aan de monitor. Tijdens een tweede bezoek koppelde moeder de monitor los, hiermee werd hem een beetje meer vrijheid gegeven.

Hoewel Alex niet meer geremd werd door de monitor, hield moeder hem dicht tegen zich aan. Hoewel Alex duidelijke aanstalten maakte om te bewegen en op onderzoek uit te gaan, werden deze signalen door moeder genegeerd; toch protesteerde Alex niet wanneer moeder hem naar zich toetrok. Hij reageerde op moeder met goed oogcontact, lachend, knuffelend, brabbelend, en toonde zich niet angstig of claimend. In feite leek hij zelfs in te gaan op alles wat zij wenste. Bijvoorbeeld, tijdens de sessies gaf moeder hem regelmatig borstvoeding gedurende telkens vijf minuten aan elke borst. Alex sputterde niet tegen wanneer hij van de borst werd verwijderd en leek telkens weer te gaan drinken, hoewel hij geen signalen gaf meer te willen.

Alex kwam niet angstig over bij moeders vertrek tijdens een separatie/herenigingstaak. Hij was goed betrokken op de onderzoeker en wanneer zijn moeder terugkwam reageerde hij met gebrabbel, goed oogcontact, lachjes en toenaderingsgedrag naar haar toe.

Lichamelijk onderzoek toonde hematomen aan op het rechter voorhoofd en vlak onder het linker oog. Moeder vertelde dat Alex tijdens één van zijn aanvallen gevallen was en zijn hoofd gekwetst had. Bevindingen tijdens het onderzoek kwamen overeen met het verhaal van moeder, maar toch bestonden er zorgen over mogelijke mishandeling. Ontwikkelingsonderzoek (waaronder de Bayley, de Peabody en de Vineland) toonde leeftijdsadequaat motorisch, cognitief en preverbaal functioneren. Hoewel moeder zich ernstige zorgen maakte om Alex' eetgedrag, werd door de therapeut vastgesteld dat hij actief zijn mond opende en sloot, en in staat was het voedsel naar het achterste deel van zijn mond te verplaatsen en te slikken zonder enige moeite en zonder zich te verslikken.

Discussie

De grootste zorg hier betreft de relatie tussen moeder en kind en haar ambivalente gevoelens rond zijn geboorte. De gerapporteerde medische voorgeschiedenis is indrukwekkend, maar de betekenis ervan twijfelachtig. Ondanks moeders dramatische voorgeschiedenis, toonden de klinische observatie en het ontwikkelingsonderzoek dat de ontwikkeling van Alex leeftijdsadequaat verloopt. Er kan worden besloten dat er geen As 1 diagnose aanwezig is.

Wel bestaat het vermoeden van een relatieprobleem. Op het eerste zicht lijkt moeders liefde en zorg oprecht en drukt zij ook haar wens uit dat hij zich normaal zal ontwikkelen. Haar angsten en ambivalente gevoelens worden echter heel duidelijk. Dit blijkt uit haar uitlatingen over hem en uit de geobserveerde interactiepatronen, met name de overbescherming die tot uiting komt tijdens het voeden en bij separaties. Deze moeder lijkt haar eigen kwetsbaarheid op medisch gebied en haar moeite met separatie, te projecteren op Alex. Dit wordt ook gezien in de wijze waarop ze hem afremt in zijn leeftijdsadequate exploratie van de omgeving nu hij mobieler wordt. Zij heeft geen oog voor zijn sterke kanten en hij heeft er moeite mee voor zichzelf op te komen. De persoonlijkheidsproblemen van moeder komen ook duidelijk naar voor in de onduidelijke generatie grenzen in de relatie met haar andere kinderen. De ziekte van Alex dient om moeders gevoelens van schaamte rond zijn conceptie toe te dekken en haar banden aan te halen met haar familie.

Mogelijk fysiek misbruik, waaronder Munchausen by proxy, dient verder onderzocht te worden.

Interventie

Deze dyade zou baat hebben bij participatie aan een moeder-kind programma, waar het delen van plezier en het succesvol leren binnen de moeder-kind interactie ondersteund zou worden, samen met andere ouders en kinderen. Het zou belangrijk zijn zowel groepstherapie als individuele psychotherapie samen te bundelen in een programma, dat: 1) de ouder ondersteunt, zowel op concreet dagelijks als op psychologisch vlak; 2) de huidige geïsoleerde positie van moeder en kind thuis doorbreekt; 3) erkenning en zorg biedt voor haar als ouder; 4) haar helpt te zorgen voor haar andere kinderen. Actieve stappen zullen wellicht nodig zijn om moeder in zulk een programma te betrekken door eerst een vertrouwensrelatie op te bouwen en haar vervolgens aan te zetten tot participatie met anderen en uiteindelijk tot het ontwikkelen van een individuele therapeutische relatie die ze nodig zal hebben voor zichzelf. Alex kan genieten van de stimulering binnen een ruimere setting, waar hij meer vrijheid krijgt om te exploreren en te spelen met andere kinderen en steun krijgt uit andere relaties, en waar eventuele problemen gevolgd kunnen worden.

Diagnostische Impressie

As 1: Geen diagnose
As 2: Ouder-kind relatiestoornis: overmatig betrokken
As 3: Convulsies (uitsluitend uit informatie van moeder), apnoe bradycardie, reflux, chronische otitis media
As 4: Psychosociale stressfactoren: matige impact
As 5: Functioneel emotioneel ontwikkelingsniveau: op verwacht niveau met enkele milde beperkingen

Casus 6 Miguel

Beschrijving

Miguel, 37 maanden oud, was fysiek agressief naar zijn zusje van 2 maanden oud. Elke dag van de week ging hij naar een ander kinderdagverblijf. In het kinderdagverblijf toonde hij een gebrek aan sociale betrokkenheid, waarbij één dagverblijf aangaf dat hij een 3-jarig leeftijdsgenootje bij de keel had gegrepen. Moeder had een verminderde sociale interactie opgemerkt, naast echolalie, sinds het begin van haar laatste zwangerschap. Op dat ogenblik leed zij aan een milde depressie, waarbij ze niet te dichtbij of te betrokken wilde zijn ten aanzien van Miguel. Toen de zwangerschap verder vorderde, werd Miguel minder communicatief, minder interactief en verzette hij zich tegen het kinderdagverblijf.

Toen hij zijn kleine zusje begon te slaan, spraken zijn ouders hem hierover aan en sloten zij hem op in zijn kamer voor een time-out.

De zwangerschap van Miguel verliep vlekkeloos, buiten een milde virale infectie en een keizersnede. Zijn geboortegewicht was bijna 4.500 kg, met een APGAR score van 9-9/10.

Miguel kreeg borstvoeding gedurende de eerste zes maanden en werd beschreven als een actieve, lachende en aanhankelijke baby die de eerste twee jaar van zijn leven goed at en sliep. Ontwikkelingsmijlpalen werden normaal bereikt. Hij zocht toenadering tot andere kinderen.

Toen hij 18 maanden oud was verhuisde de familie van Mexico naar Californië. Op de leeftijd van 20 maanden vertoonde hij uitgesproken echolalie, maar dit leek te verbeteren tot de leeftijd van 30 maanden. De episode van echolalie en het spontaan verbeteren kunnen te maken gehad hebben met de taalverandering, als gevolg van de verhuizing en met zijn blootstelling aan de Engelse taal. De echolalie nam echter weer toe na een tweede grote verhuizing en na plaatsing in een kinderdagverblijf. Dit deed het vermoeden rijzen dat de echolalie gerelateerd was aan stress, door veranderingen in routine. Dit wordt ondersteund door het feit dat op dat ogenblik Miguel ook meer prikkelbaar werd en snel gefrustreerd raakte, dat hij veranderingen in zijn omgeving niet goed verdragen kon, en dat hij vaak overmatig reageerde op zijn omgeving en zeer druk gedrag vertoonde. Hij stopte met het beantwoorden van vragen, was in paniek wanneer hij van zijn ouders gescheiden werd en trok zich terug van andere kinderen, behalve wanneer hij zeer opgewonden of boos was.

Onderzoek wees op overmatig reageren en overprikkeling door verbale en visuele prikkels. Terwijl zijn expressieve taal leeftijdsadequaat was, vertoonde hij echolalie en had hij de neiging voorwerpen te benoemen naar hun functie eerder dan bij naam.

Verder vertoonde hij een zwakke motorische coördinatie en motorische planningsproblemen.

Zijn spel was stereotiep en repetitief en interactie met volwassenen en kinderen verliep moeizaam. Desondanks vertoonde hij wel enig symbolisch spel, die thema's aan de dag legden over separatie, afhankelijkheid, in de steek gelaten worden en woede en agressie naar zijn zus en naar leeftijdsgenoten. Miguel's ouders vonden het zeer moeilijk hem te betrekken en wisselden tussen hem ongeduldig bevragen en zich terugtrekken.

De familieanamnese leerde ons dat vader aan dyslexie leed en moeite had zijn aandacht te focussen. Hij had geleerd zich af te schermen van externe prikkels en leek als het ware niet te reageren op pogingen van buitenaf om zijn aandacht te trekken. Hij beschreef zichzelf als een afstandelijk iemand. Moeder beschreef zichzelf als een goede student, maar die als kind en adolescent verlegen was. Haar familie anamnese wees op unipolaire en bipolaire depressies, waarbij moeder zichzelf beschreef als licht depressief sinds haar laatste zwangerschap.

Discussie

Miguel had verschillende stressvolle gebeurtenissen meegemaakt het laatste jaar. Zijn familie was tweemaal verhuisd en was in vijf verschillende kinderdagverblijven geplaatst. Hij had de geboorte van zijn zusje meegemaakt, de milde depressie van zijn moeder, en de afwezigheid van zijn vader die in beslag werd genomen door de veranderingen thuis en op het werk. Deze gegevens duiden op de grote impact van familie- en omgevingsfactoren en doen vermoeden dat het hier gaat om een affectieve stoornis (angst, hechting of depressie). Miguel vertoonde echter ook grote problemen op het gebied van zelfregulatie en sensorische verwerking, daar hij zowel hypergevoelig- als te weinig gevoelig leek voor verschillende stimuli, agressief gedrag vertoonde onder stress en ook echolalie.

Indien Miguel slechts symptomen had vertoond gerelateerd aan een affectieve stoornis, zonder de constitutionele en ontwikkelingsgebonden moeilijkheden, dan had de primaire diagnose bepaald. Maar de problemen met auditieve processen, sensorische modulatie en controle van de motoriek waren dusdanig uitgesproken dat ze de diagnose deden vermoeden van een multisysteem ontwikkelingsstoornis met kenmerken van regulatieproblemen of een ernstige regulatiestoornis van het gemengde type.

Beide aandoeningen zouden verergerd kunnen zijn door de uitgesproken stressfactoren in zijn leven.

De mate waarin er tevens problemen bestaan op het gebied van relatievorming, communicatie en taal is bepalend voor de diagnose.

Vaak zal de eerste reactie op interventie verdere informatie opleveren voor de meest geschikte diagnose.

Interventie

In dit geval werd een interventie plan snel ingevoerd en ging Miguel met grote sprongen vooruit. De intensiteit van de behandeling in het begin was een belangrijke factor: Miguel en zijn ouders bezochten twee maal per week een speltherapeut die hen ondersteunde in het openen en sluiten van "communicatiecirkels" en het uitwerken van symbolische thema's. Daarbij adviseerde de therapeut de ouders om ieder minstens één uur per dag individueel met hem te spelen.

Miguel's relatievorming verbeterde en ook zijn taal werd meer adequaat. De ouders kwamen wekelijks bijeen met de therapeut om de betekenis van Miguel's gedrag te bespreken, alsook hun persoonlijke gevoelens, de dagelijkse aanpak (vooral wat betreft de relatie tussen Miguel en zijn zus) en andere vragen rond de therapie. Miguel werd aangemeld voor logopedie en ergotherapie omdat hij moeite bleef ondervinden met het verwerken van sensorische informatie en motorische planning (deze problemen stonden zijn mogelijkheden tot een aangaan van relaties en communicatie echter niet in de weg). Miguel's moeder werd ondersteund in haar beslissing om verlenging van ouderschapsverlof aan te vragen. Miguel werd ingeschreven in een kleinschalige peuterspeelzaal in de buurt, waar hij kinderen zou leren kennen en na school mee kunnen spelen. De familie kwam maandelijks samen met het voltallige behandelteam (speltherapeut, logopedist, ergotherapeut) om de ontwikkeling te volgen en de behandeling aan de passen aan de vooruitgang van Miguel.

Diagnostische impressie
As 1: Regulatiestoornis: Type IV
As 2: Ouder-kind relatiestoornis: onvoldoende betrokken
As 3: Geen
As 4: Psychosociale stressfactoren: matige tot ernstige impact
As 5: Functioneel emotioneel ontwikkelingsniveau – heeft nog niet het verwachte niveau bereikt, wel vorige niveaus met beperkingen

Casus 7 Sarah

Beschrijving
Sarah ging naar de kinderopvang vanaf 3 maanden zodat haar moeder weer in deeltijd kon gaan werken. Beide ouders hadden zich voorgenomen om kinderen te krijgen tegen het einde van hun opleiding. Sarah was erg gewenst en geliefd. Ouders kozen voor een gastouder als opvang. De gastouder was een oma-achtige vrouw van middelbare leeftijd. Zij nam de zorg op zich voor een klein aantal kinderen jonger dan 5 jaar. Beide ouders pasten hun weekschema zo aan dat Sarah een zo beperkt mogelijk deel van de dag bij de gastouder moest verblijven. Moeder zette Sarah af en vader haalde haar op. De eerste dag vond vader dat Sarah een glazige gelaatsuitdrukking had en dat ze er somber uitzag. Zijn eerste reactie was dat hij overmatig reageerde op haar stemming, vanwege zijn eigen schuldgevoelens over de oppasregeling voor Sarah.
De volgende dagen echter, raakte vader ervan overtuigd dat Sarah zich moeilijk kon aanpassen aan de kinderopvang. Het leek erop dat ze steeds langer nodig had om bij te komen na aankomst thuis. In de volgende week haalde Sarah's moeder haar op wegens een schema verandering. Moeder bevestigde de observatie dat Sarah een starende blik had, droevig en depressief leek, motorisch inactief was en dat het enkele uren duurde voor ze weer glimlachte naar één van de ouders. Hun bezorgdheid resulteerde in een consultatie.
Tijdens de eerste consultatie leek Sarah erg teruggetrokken. Ze maakte met geen van de ouders noch met de onderzoeker oogcontact ze was nogal stil. Tijdens de tweede consultatie die op een dag viel dat Sarah niet naar de oppas was geweest, kwam Sarah opvallend anders over. Ze was actief, lachte, was erg betrokken en ontwikkelingsadequaat. Beide ouders gingen heel actief interactie aan met Sarah, zij waren hierin bijna intrusief. De ouders beschreven het begin van slaapstoornissen en voedingsproblemen. Zij hadden verwacht dat deze problemen zouden verbeteren na een tweetal weken in de kinderopvang. Maar in plaats daarvan werden ze erger.

Een bezoek aan de kinderopvang bevestigde de observaties van Sarah's ouders. De andere kinderen waren actief aan het spelen, maar Sarah lag in haar bedje, passief en schijnbaar depressief en teruggetrokken. Uit informatie van de oppasmoeder was duidelijk dat deze zich in haar reacties liet sturen door de actieve signalen van de kinderen. De verzorgster beschreef Sarah als een erg stil kind dat wel goed leek te eten en de meerderheid van de tijd doorbracht in haar wiegje of op het speelkussen. Zij zag Sarah niet als een ongelukkig of depressief kind, maar eerder als een kind dat veel tijd nodig had voor zichzelf. Dit was in scherp contrast met de andere peuters die hun wensen wel duidelijk maakten. Het was moeilijk voor Sarah om haar ervaringen met ouders die heel alert, attent, sensitief en stimulerend waren te rijmen met die van een eveneens warme maar minder actieve oppas. Sarah was ook het grootste deel van de dag gescheiden van haar ouders en in een nieuwe situatie. Zij ondervond op dat moment zowel de separatie van haar ouders als een minder dan optimale verzorging. Vanuit diagnostisch oogpunt vertoonde Sarah een aanpassingsstoornis. Haar reactie was echter snel zo extreem dat de symptomen wijzen op kwetsbaarheid voor een affectieve stoornis (in dit geval een depressieve stemming).

Interventie
Twee interventiemogelijkheden werden overwogen: een meer graduele hervatting van moeders werk en een verandering van oppas naar een persoon die meer initiatief zou nemen in de interactie. De ouders van Sarah wilden eerst zien hoe Sarah zou reageren bij een verandering van oppas. Toen een jongere oppas, die qua stijl meer op de ouders leek, in huis kwam, toonde Sarah weer haar emotionele beschikbaarheid en nieuwsgierige, assertieve, interactieve stijl. Haar symptomen verbeterden gedurende de daaropvolgende weken. De ouders werden uitgenodigd voor een aantal vervolgconsulten.

Diagnostische Impressie
As 1: Aanpassingsstoornis
As 2: Geen stoornis
As 3: Geen
As 4: Psychosociale stressfactoren: matig effect.
As 5: Functioneel emotioneel ontwikkelingsniveau op verwacht niveau, maar met beperkingen.

Casus 8 Max

Beschrijving
Max rende de kamer in zonder op te kijken naar de therapeut of te zien of zijn ouders achter hem aan kwamen. Hij rende naar het raam en begon opgewonden met zijn handen te fladderen terwijl hij het alfabet met een hoge stem begon te zingen. Als moeder of vader naderden, ontglipte hij en rende hij naar de andere kant van de kamer. Max reageerde niet als hij werd geroepen.

Als hij werd benaderd liep hij weg of klom hij op een stoel of bank, altijd een manier vindend om zich af te wenden. Dan pakte moeder hem tenslotte op en zwierde hem rond terwijl ze een liedje zong. Als ze draaide, liet Max zijn hoofd achterover vallen, maar even later wurmde hij zich los en liep terug naar het raam, opnieuw het alfabet op dezelfde manier zingend terwijl hij met zijn handen fladderde en zonder aanwijsbare reden lachte. Ondanks het feit dat hij niet met speelgoed speelde, zette hij kortdurend blokjes op een rij alsook andere voorwerpen, want als iemand naderde verspreidde hij ze meteen uit elkaar. Als hij benaderd werd met symbolisch spel, wendde hij zich snel af en brabbelde tegen zichzelf.

Max was een heel mooi kind met lange krullende lokken, goed gebouwd, hij at en sliep goed en leek altijd uitermate gelukkig als hij opgewonden in zijn eigen wereldje verkeerde. Nadat hij twee jaar geworden was, startte hij in de peuterspeelzaal waar zijn ouders al snel bij de leid(st)ers geroepen werden met de dringende vraag om Max te laten onderzoeken. De ouders en de kinderarts hadden opgemerkt dat Max nog niet was gaan praten, maar de mijlpalen voor de grove motoriek waren leeftijdsadequaat en hij was, buiten een aantal oorontstekingen, in goede gezondheid.

Max klom nooit op toestellen in een speeltuin, hield er niet van aangeraakt te worden en hield vast aan harde plastiek voorwerpen, alhoewel hij onlangs met een stuk zeep was gaan rondlopen. Hij interesseerde zich niet voor puzzels en blokken. Max keek ook niet naar tv of video's en wierp er slechts vluchtige blikken naar terwijl hij rondliep. Hij reageerde niet op verbale aanwijzingen maar was meestal coöperatief als hij kon zien wat er gaande was. Max leek steeds heel gelukkig en energiek en veroorzaakte geen problemen binnen het gezinsleven. Allen zijn vier jaar oude broer negeerde hem. Iedereen had een stap terug gedaan omdat hij voor zichzelf leek te kunnen zorgen. Max hield ervan om met bedtijd al wiegend voorgelezen te worden en zijn vaardigheden om het alfabet en de getallen op te zeggen werden met bewondering onthaald als 'zijn eerste taal'. Hij hield er ook van om op vaders of moeders rug te zitten en wild rond te rijden zonder dat ze hem daarbij direct aankeken. Op zijn andere behoeften werd geanticipeerd en hij eiste bijna nooit iets, ondanks het feit dat hij soms om eten of om alfabet blokken vroeg. Zijn ouders waren druk bezig met hun carrières, en ook nog met pogingen hun huwelijk staande te houden. Op zekere hoogte brachten de problemen van Max hen samen, maar hun stijgende angst resulteerde in aanzienlijke spanning en versterkte hun eigen problemen.

Er werd snel een uitgebreid onderzoek gepland die de multiple problematiek bevestigde, zowel op het gebied van sensorische prikkelverwerking als op communicatie en contactgebied.

Discussie
Met het oog op Max' stereotiepe bewegen en contactafweer, zijn preoccupatie met het nooit veranderende alfabet en het op een lijn zetten van voorwerpen, en met het oog op zijn problemen met communicatie en relaties is nadere be-

oordeling geïndiceerd van de prikkelverwerkingsstoornissen en van de inge-
slepen gedragspatronen. Hij functioneerde duidelijk het slechtst tijdens onderzoeken in nieuwe en stressvolle situaties, maar zijn angstige ouders meldden
vergelijkbaar gedrag thuis. Hoewel zij het idee hadden dat hij als baby altijd
wel affectie toonde, was het voor hen niet duidelijk dat hij zijn blik telkens
afwendde als ze voor hem zongen of op schoot hadden, en dat hij geen gebaren maakte zoals wijzen naar iets om het te krijgen of ergens op kroop omdat
zij hem steeds voor waren en alles voor hem regelden. Hij sliep en at goed,
ontwikkelde zich motorisch goed, wat het moeilijker maakte om de tekorten
in de sensorische verwerking (auditief, vestibulair, proprioceptief) en in de
motorische planning te herkennen.
De ernstige problemen die Max vertoonde op het gebied van de zelf-regulatie
en de onder- en overreactiviteit ten aanzien van prikkels geeft aanleiding om te
denken aan een regulatiestoornis of een multisysteem ontwikkelingsstoornis.
Als zijn problematiek niet de communicatie en interactie zou omvatten, dan
zou een ernstige regulatieproblematiek de aangewezen diagnose zijn. Omdat
hij in het geheel niet in staat was om op een consistente of leeftijdsadequate
manier te communiceren en interacties aan te gaan en omdat hij zijn sensorische ervaringen niet kon organiseren en reguleren werd besloten tot een
multisysteem ontwikkelingsstoornis. De gedragspatronen komen niet overeen
met een specifieke ontwikkelingsstoornis of een disfunctie op cognitief vlak
vanwege de uitgesproken tekortkomingen op het gebied van contactname en
de bijzondere communicatieproblemen.

Interventie
Voor een kind als Max is een zeer intensieve interventie nodig om zijn ontwikkeling te ondersteunen. De primaire focus moet zijn: hem betrekken bij een
over en weer interactie waarin hij moet leren om met anderen te communiceren. In dit geval, was de basis van het programma een begeleiding van drie
keer per week waarbij de ouders en de oppas aanwezig waren. In deze interac-
tiegeoriënteerde begeleiding, leerden de verzorgers van Max om zijn spoor te
volgen, om betrokkenheid aan te moedigen, affectieve en motorische gebaren
uit te wisselen, "communicatiecirkels" te openen en te sluiten en een symbolische wereld te ontwikkelen. Dezelfde interactie benadering werd ook dagelijks
thuis toegepast, met een minimum van drie uur per dag. Ergotherapie en andere minder frequente begeleidingen werden opgestart, elk met een frequentie
van 2 tot 3 sessies per week. Een dieet werd gestart om te zien of Max zou
reageren op het weglaten van voedselbestanddelen. Max werd daarnaast ingeschreven op een kleine peuterspeelzaal, waar hij drie maal per week hulp en
begeleiding kreeg bij de interactie met andere kinderen. Deze ervaring hielp
hem te leren in een omgeving waar andere kinderen wel in staat zijn te spelen
en relaties aan te gaan, kinderen die als rolmodel voor hem konden zijn. Daarnaast vonden regelmatig oudergesprekken plaats waar ouders konden praten
over hun eigen ervaringen, over de impact op het gezinsleven en hun huwelijk
en waar zij met hun dagelijkse vragen terecht konden. Elke maand was er een

teamvergadering samen met ouders om de progressie in kaart te brengen en ter integratie van de verschillende onderdelen van de behandeling.

Diagnostische indruk
As I: Multisysteem ontwikkelingsstoornis
As II: Geen stoornis
As III: Geen somatische diagnose
As IV: Geen psychosociale stressfactoren
As IV: Functioneel emotioneel ontwikkelingsniveau: huidige en vorige niveaus niet bereikt

Casus 9 Jimmy

Beschrijving
"Hij kijkt niet naar me, hij huilt elke keer als ik hem aanraak of vasthoud. Is er met mij of met hem iets fout?" Dit waren de eerste woorden van de moeder van de vier maanden oude Jimmy. Zij had het gevoel dat Jimmy makkelijker een relatie aanging met zijn vader en bij hem niet huilde. Maar ook daar toonde hij geen plezier en enthousiasme, glimlachte niet en uitte geen positieve emotie. Naar de oppas toe had Jimmy sporadisch haast vrolijke blikken geworpen en misschien 1 à 2 keer voorzichtig geglimlacht. Moeder hield hem stevig vast en leek bezorgd en angstig. Zij uitte zich op een fluisterende, depressieve en monotone wijze, onderbroken door lange stiltes. De baby keek langs haar heen met een expressieloze, vage blik en begon na een twintigtal minuten te huilen en te draaien. Er was geen oogcontact, geen glimlach, nog fronsen of gebaren, maar slechts een onverschillige, lege en wazige blik.
De ontwikkelingsanamnese beschreef een normale zwangerschap en bevalling. Als pasgeborene had Jimmy een goede motorische controle en was hij in staat om zowel heel actief als kalm te zijn, om te reageren op geluiden, aanrakingen en beweging en om oogcontact te maken en dit de eerste weken na de geboorte. Tegen de tweede maand, bemerkte moeder dat hij minder responsief werd: "hij begon mij te haten". Moeder had een geschiedenis van chronische depressie die in de late puberteit begonnen was en die door de jaren heen behandeld was met medicatie, ECT (electroshoktherapie) en psychotherapie. Zij was accountant geworden en werkte lange dagen. Vader was ook een druk bezette accountant en toonde zich iemand die de dingen graag op een geordende manier en volgens een vast schema deed. Hij voelde zich gefrustreerd omdat zijn zoon zo moeilijk te betrekken was. Hij wilde ook dat zijn vrouw een betere moeder werd. Hij wilde zich niet verder uitlaten over hoe zij hem teleurstelde of over zijn eigen achtergrond.
De begeleider was in staat om de baby's aandacht vluchtig te trekken en ontlokte een flauwe blik en vluchtige glimlach, die contactgericht overkwam. Jimmy leek sensitief voor hoge tonen, harde geluiden en uitgesproken en levendige gezichtsuitdrukkingen. Zijn motorische planning en spiertonus leken goed te zijn en hij hield van stevig lichamelijk bewegen. Het was moeilijk om

de visueel-ruimtelijke of auditieve processen in kaart te brengen omdat zijn oogcontact en betrokkenheid zo kortdurend waren. Jimmy vertoonde dezelfde kortdurende betrokkenheid ten aanzien van zijn oppas. Terwijl de onderzoeker met Jimmy bezig was, namen zijn aandacht en betrokkenheid wat toe; dit wees op een mogelijk effect van aanhoudende stimulatie.

Discussie

De ouder- en gezinsfactoren, in dit geval de depressie van moeder en de interactie factor zijn van primair belang. Deze baby vertoonde ook constitutionele en rijpingspatronen die het hem gaandeweg steeds moeilijker maakten om betrokken te zijn bij een relatie. En dit ondanks het feit dat hij het in het begin aardig goed deed, voordat de ouderfactoren hun invloed op zijn ontwikkeling zouden doen gelden. Omdat hij een duidelijk patroon van depressieve en geïrriteerde stemming ging vertonen, met verminderde interesse en plezier in de omgeving, en omdat de interactie met zijn verzorger problematisch werd, lijkt de primaire diagnose depressie aangewezen.

Interventie

Deze classificatie rechtvaardigt een interventie gericht op de interactie alvorens de behandeling van de ontwikkelingsachterstand met taal- en spraaktherapie aan bod komt. Met de regulatie component (hypersensitiviteit) moet tijdens de interventie rekening worden gehouden om het kind tot meer interactie uit te lokken. Tijdens de behandeling moet het kind worden geholpen om zijn aandacht te focussen tijdens het aangaan van emotionele interacties. De moeder zal worden begeleid om sensitiever te worden ten aanzien van haar zoon en om zijn emotionele signalen te leren herkennen. Hiermee kan een positieve relatie tussen moeder en kind worden opgebouwd. De interventie kan vanuit een centrum voor jonge kinderen plaatsvinden, via thuisbegeleiding of een andere setting, mits zowel de ouders als de oppas erbij betrokken worden. De clinicus dient zowel met de regulatie als met de emotionele componenten van Jimmy's problemen rekening te houden om de ontwikkeling weer op gang te krijgen.

Diagnostische Impressie

As I: Affectieve stoornis: Depressieve stoornis
As II: Ouder-kind relatiestoornis: onvoldoende betrokken
As III: Sensorische verwerkingsproblemen (welke vervolgd dienen te worden)
As IV: Psychosociale stressfactoren: ernstige impact
As V: Functioneel emotioneel ontwikkelingsniveau: niet op verwacht niveau
          (gedeelde aandacht en wederkerige interactie)

Casus 10 Mark

Beschrijving
Mark was een gemakkelijke baby die lachte en reageerde als hij rustig benaderd werd, maar die zelf niet veel initiatief nam of contact zocht. In een druk gezin met werkende ouders en een aandachtvragende 3-jarige zus viel niet op hoe weinig reactief Mark was. Met 18 maanden bloeide hij op als zijn ouders een liedje zongen voor hem, met hem dansten of hem oppakten. Maar als hij aan zichzelf werd overgelaten bleef hij kijken naar heen en weer rijdende autotjes, draaiende voorwerpen en vond hij het leuk om met een speeltje over zijn buik te wrijven. Hij was ook erg gevoelig voor geluiden. Mark raakte in paniek bij het horen van een sirene of een onverwacht motorgeluid. Iedereen sprak tegen Mark op fluisterende toon omdat het moeilijk was contact met hem te krijgen wanneer met een normale stem werd gesproken. Als het eenmaal lukte hem erbij te betrekken, was hij contactgericht en emotioneel betrokken en zag er dan uit als een stralend kind. Maar terwijl Mark reageerde als hij werd aangehaald, had hij uit zichzelf vooral de neiging om zich terug te trekken en zich overmatig te richten op zijn eigen activiteiten. Hij toonde zich daarmee kwetsbaar en huiverig ten aanzien van de buitenwereld.

Beide ouders waren bezorgd en angstig omtrent de ontwikkeling van Mark. Vader had de neiging op elke mogelijke stressbron te anticiperen en hem voortdurend te beschermen. Moeder daarentegen kon meer assertiviteit aanmoedigen, maar was soms depressief of inconsequent. Beide ouders ervoeren problemen in het stellen van grenzen. Mark werd heen en weer geslingerd tussen de twee verschillende opvoedingsstijlen. Daarnaast waren er ook duidelijke relatieproblemen tussen de ouders.

Met 30 maanden wekte Mark de indruk te begrijpen wat hem gezegd werd mits hij luisterde, maar die luisterhouding was wisselend. Luide en drukke restaurants of winkelcentra waren erg stressvol voor hem, terwijl Mark anderzijds sterke geluiden opzocht. Mark kwam teruggetrokken over. Het lukte maar kort zijn aandacht te trekken met voorzichtige signalen, maar daarna trok hij zich weer terug in repetitief gedrag. Hij genoot alleen duidelijk van sensomotorische activiteiten, zoals rennen, springen en schommelen, die hem meer duidelijke sensaties gaven over zijn lichaam in de ruimte en hem hielpen zijn ervaringen te organiseren en zich bewust ervan te worden. Mark had de neiging om de omgeving steeds te scannen en zich vervolgens overmatig te richten op iets kleins dichtbij. Verder oogheelkundig onderzoek wees op een convergentie probleem dat leidde tot het overmatig inzetten van enkele visuele vaardigheden zoals fixatie, insluiten en uitschakelen.

De taal en symbolische gebaren bleven van eenvoudig niveau, maar Mark had leren praten en vertoonde fantasieactiviteit met poppen. Hij reageerde vooral als iets hem beangstigde zoals speelgoed dat stuk ging, poppen die vielen of zich pijn deden, dingen die kwijt raakten of vuil werden, etc.... Over deze thema's kon Mark een eenvoudig gesprekje aangaan, maar zijn angst dreef hem tot repetitief spel. Hij vertoonde eveneens dwangmatig gedrag waarmee hij zich veilig kon voelen, zo stond hij er bijvoorbeeld op dat de deur open bleef 'op een kier'. Mark was een 'angstige dictator' die alles op zijn manier wilde laten verlopen om de controle te krijgen op de omgeving. Tegelijkertijd was hij bang en wilde hij niet dat anderen boos op hem werden of tegen hem in zouden gaan. Mark reageerde vaak niet als op normale toon tegen hem gesproken werd en was bang voor bepaalde hoge of lage tonen.

Discussie
Mark werd gezien met 30 maanden. Hij was toenemend angstig geworden en ingeperkt en trok zich steeds verder terug in zijn eigen wereldje. Hij was niet speciaal bang of agressief, maar voelde zich veilig door alles op zijn eigen manier te doen, op zijn hoede voor de impact en de eisen van de buitenwereld. Terwijl zijn cognitieve en taalvaardigheden zich verder ontwikkelden, had hij geen aandacht voor communicatie met anderen. Mark was overgevoelig voor scherpe en vibrerende geluiden, maar reageerde ongevoelig op andere geluiden. Mark reageerde onvoldoende op beweging en had een zwakke motorische planning. Op visueel vlak reageerde Mark eveneens te weinig, en overmatig focussen en repetitief gedrag werden vaste kenmerken. De uitgesproken emotionele problemen en interactieproblemen die Mark was gaan ontwikkelde leken het gevolg van zijn onderreactiviteit en de moeite die het kostte hem ergens bij te betrekken, kenmerken die al vanaf de geboorte aanwezig waren geweest.

Interventie
De behandeling van Mark dient gericht te zijn op vaardigheden op het gebied van prikkelverwerking en op de emotionele problemen. Hierdoor zullen Mark's capaciteiten om zich naar zijn directe omgeving te richten, deze juister te interpreteren en als veilig te ervaren, uitgebreid kunnen worden. Hiermee zullen de interactie en communicatie met anderen een betere kans krijgen. Het is eveneens belangrijk dat de relatief beperkte gebaren en symbolische vaardigheden uitgebreid worden zodat Mark leert om op meer leeftijdsadequate wijze om te gaan met leeftijdsgenoten. Een intensieve therapie is geïndiceerd omdat Mark op een belangrijke leeftijd zit qua ontwikkeling van sociale interacties en ook gezien de toegenomen eisen van de omgeving. Om te werken aan de sensorische verwerkingscapaciteiten werd Mark verwezen voor logopedie en ergotherapie. Hij zal eveneens worden verwezen voor onderzoek van zijn visuo-motoriek en auditieve verwerking. Met Mark en zijn ouders zal gewerkt worden aan een verbetering van communicatieve en symbolische vaardigheden en ook aan een meer adequate aanpak in de opvoeding. Met de ouders zal verder gekeken worden naar de wijze waarop Mark uitgedaagd kan worden tot toenemende interactie en gerichtheid op de omgeving. Hierdoor zal hij in contact komen met een steeds breder scala aan emotionele interacties zowel thuis als in de therapiesituatie. Mark zal verder gaan deel nemen aan een vroeg taal-spraak interventieprogramma (3 keer per week) en hij zal 2 dagen per week naar de gewone peuterspeelzaal gaan. Aan de ouders wordt een therapie

geadviseerd om hen te leren omgaan met de eigen conflicten en de onderlinge verschillen in aanpak ten aanzien van Mark. Het oplossen van de gezinsproblemen is relevant en zou Mark helpen om meer profijt te hebben van het overige therapieaanbod.

Diagnostische Impressie
As 1: Regulatiestoornis: hyporeactief type II
As 2: Ouder-kind relatiestoornis: overmatig betrokken relatie
As 3: Geen diagnose
As 4: Psychosociale stressfactoren: ernstige impact
As 5: Functioneel emotioneel ontwikkelingsniveau: heeft verwacht niveau niet bereikt

Casus 11 Jasmine

Beschrijving
Jasmine was een gezond, emotioneel en qua ontwikkeling leeftijdsadequate, 19 maanden oude peuter toen zij getuige werd van de aanranding en verkrachting van haar moeder door een voorbijganger. Nadat Jasmine's moeder enkele minuten met de man gevochten had, pakte hij Jasmine beet en hield hij een geweer tegen haar hoofd om de moeder te laten gehoorzamen aan zijn bevelen. Jasmine was niet fysiek gewond geraakt tijdens deze aanval.
Onmiddellijk na de aanranding waren moeder en dochter een eindje verder gaan wonen bij een familielid. Enkele weken later trokken zij weer in hun appartement waar de aanranding had plaats gevonden, waarna Jasmine onmiddellijk symptomen ging ontwikkelen. Direct bij terugkomst in het appartement vertoonde zij veel spanning en stress en bleef zij heel angstig tot de moeder de meubels van het appartement een andere plaats had gegeven. Daarna, was zij wat gekalmeerd maar vertoonde nog steeds enkele hardnekkige symptomen. Er waren doorslaapproblemen. Hoewel zij zonder veel protest in slaap viel, begon zij 3 à 4 keer per nacht te huilen, niet reagerend en ontroostbaar tot ze weer in slaap viel. Ze werd soms roepend wakker: naar haar moeder of naar de aanvaller van haar moeder dat hij haar met rust moest laten. Op deze momenten kon Jasmine wel gerustgesteld worden maar het nam wel tijd in beslag voor ze weer insliep. Na de aanranding was het tenminste drie keer voorgekomen dat zij de hele dag had doorgeslapen zonder wakker te worden, en dit terwijl zij over het algemeen niet meer vermoeid leek dan anders volgens de moeder. Na de aanranding ging agressief gedrag in de interactie van Jasmine met jongere kinderen overheersen terwijl zij daarvoor nooit dergelijk agressief gedrag had vertoond. Tegelijkertijd had Jasmine de neiging om contact met oudere kinderen te vermijden. Het was opvallend dat zij meer koppig en wantrouwig was naar haar moeder, maar ook meer sensitief en dat ze meer en sneller huilde dan voor de aanranding. Zij raakte meer gehecht aan haar speen na het trauma. Na het trauma had Jasmine de neiging om contact met mannen te vermijden, behalve met de vriend van moeder. Op een keer toen de moeder en

haar vriend wat spelenderwijs stoeiden kwam Jasmine naar hem toe om hem te slaan en te krabben. Jasmine ontwikkelde ook momenten van staren die 2 à 3 minuten duurden en 2 à 3 keer per week voorkwamen. Haar moeder kon geen opvallende directe aanleidingen vinden voor deze episodes. Tijdens die afwezigheden was Jasmine stil en reageerde zij niet; ze had de neiging te staren zonder op iets te focussen of iets te herkennen.

In haar spel ontwikkelde Jasmine een repetitieve zich herhalende serie gedragingen waarbij zij de poppen op de grond gooide en ze ook sloeg. Zij had de neiging om dit telkens opnieuw te herhalen zonder verdere uitdieping en zonder merkbare emoties, volgens moeder. Zij liet dit spel niet zien in de onderzoekskamer, maar alleen bij moeder thuis.

Discussie

De diagnose traumatische stressstoornis is vanzelfsprekend. Het kind toont verschillende verschijnselen die kenmerkend zijn voor deze stoornis.

Interventies

Voor Jasmine en haar moeder is psychotherapie geïndiceerd, die zowel direct spel als ouderbegeleiding omvat om Jasmine te helpen de veiligheid terug te winnen. Aangezien de taal juist volop in ontwikkeling is, is het nu belangrijker voor moeder om te leren hoe vrij spel te gebruiken om haar dochter te helpen bij de ontwikkeling van een nieuw gevoel van veiligheid en bij de geleidelijke verwerking van het trauma. De moeder moet leren hoe zij zich ontspannen kan voelen tijdens het volgen van het spel, ongeacht wat Jasmine uitdrukt, dus ook op momenten van woede en agressie naar de moeder. De therapiesessies dienen in het begin frequent te zijn om de moeder in hoog tempo te leren hoe dagelijks met haar kind te spelen, om de signalen te herkennen die Jasmine mogelijk zo overstuur maken in het dagelijkse leven, en om adequaat te reageren op die signalen. Moeder kan mogelijk ook profiteren van individuele begeleiding. Indien Jasmine's momenten van afwezigheid of staren blijven bestaan is verdere neurologische evaluatie geïndiceerd.

Diagnostische impressie

As I: Traumatische stressstoornis
As II: Geen relatie diagnose
As III: Geen
As IV: Psychosociale stresfactoren: ernstige impact
As V: Functioneel emotioneel ontwikkelingsniveau: heeft verwachte niveaus
        bereikt

Casus 12 Julie

Beschrijving

Julie valt eindelijk in slaap aan moeders borst, beiden liggen op de grote matras op de grond. Het is middernacht geweest en de vorige uren gingen voorbij aan troosten, wiegen en uiteindelijk al voedend in slaap krijgen van Julie. Julie is 13 maanden oud. Haar wieg werd sinds 6 à 7 maanden geleden niet meer gebruikt, toen moeder het constante huilen van haar eerste langverwachte kind niet meer kon verdragen. Zij leek zo'n hulpeloos en zielig hoopje ellende, dat zelfs vaders boosheid en afkeuring de situatie niet kon keren. Moeder deed voortdurend haar best om haar dochter het gevoel te geven dat er steeds voor haar gezorgd werd en zij niet aan haar lot werd overgelaten zodat zij zichzelf in slaap zou moeten huilen. Iedereen verweet de moeder dat ze haar dochter te zeer beschermde. Haar kinderarts adviseerde haar "om de baby te laten huilen, zodat die zou kunnen leren zelf in slaap te vallen". Haar echtgenoot beschuldigde haar ervan dat zij hem afwees.

Julie werd na een geplande en gezonde zwangerschap en partus geboren. Zij was alert en heel responsief, rap en nieuwsgierig. Haar moeder pakte haar altijd snel op, zodat de baby zich veilig zou voelen en erop zou vertrouwen dat er altijd iemand voor haar was. Terwijl Julie het fijn vond om vastgehouden te worden tijdens het aankleden was ze ook gevoelig voor lichte aanraking en had moeite met het eerste contact met water tijdens het baden. Zij leek zich echter aan te passen. Zij begon gespitst te raken op harde en plotselinge geluiden en probeerde deze meteen te localiseren. Frequente voedingen en nachtelijk ontwaken werden gewoonte, en knuffelen werd de manier om haar te kalmeren tijdens de eerste maanden, waarin zij prikkelbaar en onrustig gedrag vertoonde. Desalniettemin waren de eerste 6 maanden een genot voor iedereen. Het was toen nog niet zo opvallend dat haar slechte zelfregulatie met betrekking tot slaap- en eetpatronen of haar gevoeligheden of verhoogde reactiviteit een reden van zorg waren. Zij zag er goed uit, luisterde aandachtig en haar vocale reacties werden de weg waarlangs zij in staat was haar intenties duidelijk te maken.

Met ongeveer 6 maanden verhuisde de familie naar een nieuw huis. Julie reageerde op een DTP-prik en begon 's nachts vaker te ontwaken. Dit zette zich het volgende halfjaar voort en verergerde wanneer zij ziek was. De ouders merkten dat Julie laat was met zitten vergeleken met leeftijdgenootjes uit moeders oudergroep, en nog niet kroop met 10 maanden. Zelfs met 13 maanden zat zij nog niet stabiel en moeder herinnerde zich dat ze laat was met het oprichten van het hoofd. Het was niemand opgevallen dat dit patroon indicatief was voor een lage spiertonus en motorische planningsproblemen.

Maar Julie vocaliseerde voortdurend, ging een paar woordjes gebruiken met 12 maanden en leek veel te begrijpen, waarbij zij simpele aanwijzingen volgde en woorden herhaalde. Alhoewel zij zeker huilde uit protest, gooide zij nooit met voorwerpen omdat zij anders haar evenwicht zou verliezen. Julie beschikte dan ook over weinig middelen om haar woede veilig te kunnen uiten. Ook hechtte zij zich niet aan een vaste knuffel en had zij liever haar moeder continu naast zich. De separatieangst nam vroeg in het tweede jaar toe, toen de hulp van het gezin, die zij goed kende, wegging.

De moeder zag niet in hoe snel zij zich steeds over haar baby ontfermde en hulp bood voordat zij die echt nodig had en hoe zij een leidende rol had in de activiteiten van haar dochter. Dit werd niet intrusief, controlerend gedaan, maar op een onderworpen en vrij passieve manier met lange pauzes. Zij was een angstige ouder, die zich zorgen maakte over wat zij moest doen en dat zij een fout zou maken. Een patroon ontwikkelde zich waarin Julie toenemend passief werd en het toeliet om gecontroleerd te worden door moeders initiatieven en gebaren en waarin de moeder, die zich angstig en onzeker toonde, uiteindelijk overbeschermend werd. Vader was in staat om meer zelfinitiatief en activiteit aan te moedigen, en om impliciet eisen te stellen aan Julie zodat zij op hem zou reageren. Hij neigde zich echter terug te trekken, in reactie op de angst van zijn vrouw en twijfelde aan zichzelf, alhoewel hij erop bleef aandringen dat Julie 's nachts moest kunnen huilen, om uiteindelijk zelf te leren om zelf in slaap te vallen.

Discussie

Met 13 maanden was Julie een verbaal begaafd en contact gericht kind, met een sterke hechting, dat gelukkig en responsief overkwam bij bekenden. Zij begon maar net te kruipen en had er nog moeite mee om haar lichaam op te richten, zelfs tijdens het zitten. Hier spreidde zij haar benen wijd uit elkaar, en fixeerde haar schouders om haar rug te ondersteunen, zodat zij beter rechtop kon blijven. Zij was ook vrij gevoelig voor aanraking en toonde zich onzeker bij het exploreren van onbekende voorwerpen of ruimtes. Het moeilijkste was het feit dat Julie nog niet in slaap kon vallen zonder dat haar moeder naast haar lag, en met niemand achtergelaten kon worden.

Een primaire slaapstoornis kan overwogen worden gezien de duur van dit probleem, maar met de bijkomende sensorische verwerkingsproblemen gingen in dit geval de regulatieproblemen voor. In dit zelfde geval gaat een primaire diagnose van separatieangst voorbij aan de significante regulatieproblemen. Terwijl de moeilijkheden bij de ouders en de omgeving bijdroegen aan de problemen, waren deze niet verantwoordelijk voor de slechte tonus en verhoogde sensorische reactiviteit. De combinatie van de verschillende problemen kan in een multi-axiaal systeem worden ondergebracht. Deze casus illustreert dat wanneer er tegelijkertijd regulatieproblemen zijn en een problematische interactie met de verzorgers, de regulatiestoornis voorrang krijgt en de interactie met verzorgers op As II kan worden genoteerd in de ouder-kind relatieclassificatie.

Interventie

Voor dit gezin dient het behandelprogramma verschillende elementen te omvatten. Moeder heeft hulp nodig bij een meer volgende opstelling t.a.v. haar kind en dient haar angsten te overwinnen, met betrekking tot de behoeften en de veiligheid van haar kind. Vader heeft hulp nodig om meer betrokken en vertrouwd te raken met zijn dochter. Wekelijkse gezamenlijke sessies met Julie dienen haar eigen initiatief, en de expressie van gevoelens, ook op symbolische en non-verbale wijze, te stimuleren. Psychotherapie met de ouders zou hen helpen om meer afstand te nemen en hun grenzen te definiëren, ter vermindering van de neiging om te projecteren en om het gezinsperspectief een betere kans te geven. Ouderbegeleiding zou ondersteuning bieden bij het omgaan met problemen betreffende de slaap en de separatie. Julie kan profiteren van specifieke therapie om haar zwakke spiertonus en motorische planningsproblemen te verbeteren. Daarnaast kan zij profiteren van een dagelijks zorgprogramma gericht op vermindering van haar sensorische afweer.

Diagnostische impressie
As I: Regulatiestoornis: hypersensitief – type I
As II: Ouder-kind relatiestoornis: overmatig betrokken
As III: Geen
As IV: Psycho-sociale stressfactoren: milde impact
As V: Functioneel emotioneel ontwikkelingsniveau: op verwacht niveau met enkele beperkingen

Casus 13 Colin

Beschrijving
Colin is een 3,6 jarig jongetje uit een hoger middenstandsgezin. Hij werd voor een psychiatrische evaluatie verwezen door de kleuterjuf, omdat hij slecht kon omgaan met andere kinderen. Colins preoccupatie met het andere geslacht was dermate overheersend dat hij werd verwezen naar een specialist. De ouders hadden zich hier voorheen nog geen zorgen over gemaakt.
Colin praatte graag, toonde vrijwel geen interesse in speelgoed, en gedroeg zich ondanks zijn jonge leeftijd als een gewillige volwassene, bereid om ondervraagd te worden. Tijdens het gesprek leek hij iedere gelaatsuitdrukking van de onderzoekers aandachtig te bestuderen. In dit kader vermeldde hij zijn preoccupatie met "dames met boze ogen". Hij vertelde hoe bang hij was voor een meisje in zijn klas, die boze ogen had. Met zichtbaar emotionele inspanning ging hij haar voor ons nadoen. Bij het bestuderen van video-opnames van het gezin, ontdekten wij dat hij, gekleed in meisjeskleding, met dezelfde "boze ogen" voor de spiegel stond.
Hij vertelde verder dat hij er een hekel aan had om een jongen te zijn en eigenlijk als meisje geboren was. Hij was ervan overtuigd dat hij een echt meisje zou worden als hij meisjeskleding droeg. Er waren geen aanwijzingen voor duidelijke ontevredenheid over zijn lichaam. Geëmotioneerd beschreef hij zichzelf als een meer trieste dan vrolijke jongen en als eenzaam. Hij vertelde dat de andere kinderen hem niet aardig vonden. Hij was vaak bezorgd om zijn ouders als hij op de peuterspeelzaal was. Volgens gestandaardiseerde intelligentietests functioneerde hij duidelijk in de hoge range. Er waren geen aanwijzingen voor leerproblemen. Alle ontwikkelingsmijlpalen waren binnen de norm bereikt.
Er deden zich geen complicaties voor tijdens de geboorte van Colin. Moeder beschreef hem als een gemakkelijke baby met een grote nieuwsgierigheid naar de omringende wereld. Haar relatie met hem was dermate bevredigend dat toen hij niet langer borstvoeding kon krijgen (hij beet in haar tepels), zij aan-

gaf nog niet toe te zijn aan deze stap. Vader voelde zich ondertussen buitengesloten door de band tussen moeder en kind. Op het moment van de verwijzing gaf hij aan nog steeds niet goed te weten hoe hij op zinvolle wijze de band met zijn zoon kon aanhalen.

Colin vertoonde verschillende sensorische gevoeligheden. Zo huilde hij bijvoorbeeld bij harde geluiden zoals een deurbel. Zijn gevoeligheid bezorgde hem ook plezier. Hij genoot van muziek en mooie kleuren en was alert ten aanzien van kleine veranderingen in zijn omgeving. Mevrouw S. herinnert zich Colin als een lachende, steeds gelukkige éénjarige baby. Zij herinnerde zich ook hoe op de leeftijd van twee jaar Colin emotioneel betrokken en responsief overkwam op een interviewer op de peuterspeelzaal.

Kort na zijn tweede verjaardag had het gezin een reis gepland (naar Europa). Doordat Colin ziek werd voor het vertrek, bleef hij met zijn moeder thuis, terwijl vader en grootmoeder vertrokken. Tijdens hun afwezigheid was hij ontroostbaar en heeft hij gehuild tot zijn vader en grootmoeder terug waren. Moeder was hierdoor erg overstuur geraakt en boos geworden.

Beide ouders gaven aan dat er een verandering optrad in Colins gedrag rond die tijd. Hij werd angstiger en reageerde gevoeliger op separaties. Dit werd nog versterkt toen hij naar de kleuterschool ging. Hij kwam zeer verlegen over en vertoonde aanpassingsproblemen. Hij kon niet goed opschieten met de andere kinderen, sloeg hen als hij zijn zin niet kreeg of zonderde zich af, de armen over elkaar gekruist, het gezicht naar de muur gewend. Tegelijkertijd begon hij thuis woedebuien te vertonen, een nieuw gedrag dat bij de ouders de reeds lang bestaande angsten versterkte rond de controle van woede en agressie.

Vanuit de zorg dat Colin zich te zeer afzonderde van zijn leeftijdgenootjes, besloot moeder een tweede kind te krijgen, om Colin gezelschap te houden. Prenataal onderzoek wees op een foetus met het Down syndroom en de ouders besloten om de zwangerschap te laten onderbreken. Mevrouw S. noemde het ongeboren dochtertje Miriam, naar een geliefde lerares. De drie weken voor de abortus ervoer ze als een periode van kennismaking met haar ongeboren kind. Ze fantaseerde over kleertjes naaien voor haar dochtertje en over het toevertrouwen van haar dochter aan haar eigen moeder, zodat die "iets zou hebben om voor te leven". Opmerkelijk was dat terwijl haar echtgenoot een heftige rouwreactie doormaakte na de abortus, Mevrouw S. die niet had. Hoewel zij zich nadien chronisch depressief en angstig was gaan voelen, koppelde ze dit niet aan het verlies van Miriam (van wie de as in een urne op de ouderlijke slaapkamer werd bewaard).

Colins meisjesachtige gedrag begon enkele weken na de abortus en hield aan. Zijn favoriete activiteiten waren zich verkleden als een meisje, make-up opdoen, met Barbiepoppen spelen en naar de video's van Assepoester en Sneeuwwitje kijken. Beide ouders, die artistiek aangelegd waren, beschouwden dit gedrag als een uiting van Colins creativiteit en artistieke aanleg. Mijnheer S. voelde zich hierbij soms wat ongemakkelijk, maar ging er niet tegenin omdat het naar zijn idee slechts tijdelijk van aard was en Colin er "wel overheen zou groeien". Mevrouw S. maakte zich over dit gedrag helemaal geen zorgen.

In de maanden volgend op de abortus, ervoer mevrouw S. steeds meer dat Colin's overgevoeligheid en responsiviteit rechtstreeks op haar betrekking hadden: "Hij stemde zich steeds in op mijn gevoelens, hij wist altijd hoe ik me voelde". Zij begon hem "liefje" te noemen en was verrukt over zijn artistieke talenten en zijn verkleedpartijen als meisje.

Gelijktijdig met het opduiken van het meisjesachtige gedrag, verergerden de woedebuien thuis. Mevrouw S. interpreteerde deze woedebuien als afwijzing, als het einde van zijn adoratie voor moeder en als een "uitloper" van het feit dat hij op de leeftijd van 8 maanden in haar tepels beet. Pas na jaren therapie kon zij zich herinneren hoe extreem haar reacties op deze buien waren. Zij schudde Colin door elkaar en schreeuwde in zijn gezicht. Tijdens de therapie herinnerde zij zich later dat zij hem "strak in de ogen keek en besefte dat hij daarbij vreesde door haar misschien vermoord te zullen worden".

Discussie
Colin vertoont het typische gedrag van een jongen met een genderidentiteitsstoornis. De volgende kenmerken zijn typisch voor deze stoornis: zijn doorgedreven interesse voor vrouwelijk gedrag, het psychotrauma bij moeder en de ouderlijke tolerantie ten aanzien van het crossgender gedrag, maar ook zijn verhoogde gevoeligheid, het vermijden van wilde spelletjes met leeftijdgenootjes (niet met zijn vader) en de scheidingsangst. Als kleine pasgeborene was hij er ondanks zijn specifieke gevoeligheden, wel in geslaagd een hechte band op te bouwen met zijn moeder. Hij was er evenwel minder goed in geslaagd ook met zijn vader een nauwe band aan te gaan. Vader, die eigenlijk erg had uitgekeken naar een zoon, voelde zich uit de moeder-kind dyade uitgesloten en trok zich van hen terug. Colins separatie van zijn vader (op de leeftijd van 2 jaar), leidde tot separatie-angst, mede doordat het een enorm effect had op zijn moeder. De echtelijke relatie stond verder onder grote druk. Toen zijn moeder, zes maanden later en volgend op de abortus, een depressieve episode doormaakte (en zich terugtrok), was Colin op zichzelf aangewezen. In deze fase van zijn cognitieve ontwikkeling begon een pril besef van het verschil tussen jongens en meisjes te ontstaan. De fantasieën over "een meisje zijn" hielpen hem om te gaan met het terugtrokken gedrag van zijn moeder en met andere stressvolle situaties. Toen deze stoornis duidelijk werd, was de relatie tussen moeder en zoon veranderd van overmatig betrokken in onvoldoende betrokken (met af en toe vijandige momenten en tevens met parentificatie). Hoewel de mogelijkheid zich nu aandiende, slaagde vader er niet in een nauwere band met Colin op te bouwen.

Wat de differentiaaldiagnose betreft dienen de volgende vragen beantwoord te worden: 1) is dit gedrag van voorbijgaande aard, zoals dat in stresssituaties vaker voorkomt? (dan is de maximum duur drie maanden), 2) is dit gedrag een indicatie dat Colins interesses niet conform zijn geslacht zijn?, en 3) wijst het op een genderidentiteitsstoornis? Bij aanmelding was dit gedragspatroon al reeds meer dan een jaar uitgesproken aanwezig. Zijn fantasieën en meisjesachtige gedrag waren heel hardnekkig en zeer emotioneel beladen. Het ging duidelijk verder dan een gebrek aan interesse voor activiteiten horend bij de eigen sekse. Aanwijzingen hiervoor waren ten eerste het gebrek aan te verwachten variatie, flexibiliteit en plezier dat Colin eraan beleefde en ten tweede de koppeling tussen crossgender fantasieën en stress-coping, separatie-angst en agressie. Etiologisch leek het gedrag gerelateerd aan het verbreken van de hechtingsband met de primaire verzorgers.

Interventie

Een individuele therapie met een frequentie van drie sessies per week is geïndiceerd voor Colin. Gezamenlijke spelsessies hebben als doel de ouders te leren hoe zij, via symbolisch spel, Colin kunnen leren omgaan met zijn preoccupaties en hem kunnen leren om zijn gevoelens te uiten in spel. Door te experimenteren tijdens de spelsessies kan Colin leren verschillende rollen aan te nemen en te oefenen met meer assertief en zelfs meer agressief gedrag. Deze intensieve therapie dient de komende vier jaar van zijn ontwikkeling gecontinueerd te worden, een periode waarin zijn zelfgevoel nog in ontwikkeling is en verstevigd wordt.

In een ouderbegeleiding zal de betekenis van zijn spel en van zijn gedrag in ruimere zin besproken worden alsook hoe er dagelijks mee om te gaan. Andere onderwerpen waarover de ouders bezorgd zijn, kunnen aan bod komen. Individuele psychotherapie kan aangewezen zijn voor beide ouders, om te werken aan hun relatie en hun gevoelens tegenover elkaar en tegenover Colin. Het herstel van veiligheid en respect in de relatie met moeder en het bevorderen van een intensievere interactie, van intimiteit en ontspannen spel met vader zijn van essentieel belang. Nagegaan moet worden of Colin nog aanvullende therapie nodig heeft op het gebied van de sensomotorische ontwikkeling en of ouders begeleiding kunnen gebruiken om hem daarbij te ondersteunen. Hij zou kunnen deelnemen aan een therapeutisch programma voor peuters, waar zijn individuele psychotherapie deel van zou uitmaken, of eventueel ingeschreven worden op een kleine peuterspeelzaal om de kans te krijgen om te gaan met kinderen uit zijn buurt.

Diagnose

As 1: Genderidentiteitsstoornis
As 2: Ouder-kind relatiestoornis: onvoldoende betrokken
As 3: Geen somatische diagnose
As 4: Psychosociale stressfactoren: matige effecten
As 5: Functioneel emotioneel ontwikkelingsniveau: op verwacht niveau met uitgesproken beperkingen en instabiliteit.

Casus 14 Steve

Beschrijving

Steve, van 30 maanden oud, werd doorverwezen door een hulpverleningsprogramma voor verslaafden waar zijn moeder aan deel nam. Zijn taalontwikkeling was ernstig vertraagd evenals de vaardigheden op fijn motorisch en cognitief gebied en de zelfredzaamheid. De grofmotorische vaardigheden waren echter boven gemiddeld. Hij was nog niet zindelijk en werd getypeerd als 'oraal gefixeerd', hij stak namelijk alles in zijn mond, zoog op zijn duim, stak zijn tong uit en kwijlde, maar vermeed aanraking met bepaalde stoffen. Hij kon zichzelf moeilijk kalmeren en was overgevoelig voor onverwachte geluiden, waar hij van schrok.

De bezorgdheid van zijn moeder betrof zijn agressief gedrag, de woede uitbarstingen en het feit dat ze weinig contact met hem leek te hebben. Als hij boos was, zei hij "mama ik moet bijten". Thuis vertoonde hij extreme driftbuien en destructief gedrag maar als moeder adequate grenzen stelde, volgde hij deze. Gedurende de eerste 2 levensjaren was er bij de twee ouders sprake geweest van alcohol- en drugsmisbruik en was de partnerrelatie en relatie met eigen ouders eveneens zeer conflictueus. De moeder erkende haar tekort aan emotionele beschikbaarheid en de verwaarlozing en het fysisch misbruik naar hem toe, alsook Steve's ervaringen van haar agressie naar zijn vader toe. Steve was geboren na een ongeplande zwangerschap. Tot 8 weken zwangerschap gebruikte de moeder cocaïne, diazepam, alcohol en marihuana. Toen ze ontdekte dat ze zwanger was, stopte ze met alle drugs behalve marihuana die ze bleef gebruiken in een hoeveelheid van 4 joints per dag.

De moeder beschrijft Steve als een verward kind en dit vanaf de geboorte: hij was overgevoelig voor onverwachte, harde of vibrerende geluiden, hij huilde wanneer hij aangekleed of verschoond werd, was angstig wanneer er met hem werd bewogen door de ruimte en kon niet uit zichzelf kalmeren. Er waren eetproblemen en moeder had allerlei soorten pap geprobeerd voordat ze iets vond dat hij tolereerde. Hij bleef een kleine eter en zat slechts op het 10ᵉ percentiel van de groeicurve. Steve verwierf de motorische mijlpalen trager, hij kon zitten met 9 maanden en lopen met 18 maanden. Hij vertoonde ook een ernstige achterstand in spraak, met zijn eerste woordjes op de leeftijd van 18 maanden. Hij had een geschiedenis van oorinfecties en had een ernstige longontsteking doorgemaakt. Er werd een gehoortest afgenomen maar de resultaten waren onduidelijk. Steve werd eveneens verwezen voor een neurologische evaluatie vanwege de aanwezige oraliteit, zijn labiele stemming en de woede uitbarstingen. De uitslagen waren normaal. De resultaten van het onderzoek toonden aan dat de gedrags- en ontwikkelingsproblemen verklaard konden worden vanuit vroege omgevingsfactoren.

Gedurende een gestructureerd onderzoek van de ouder-kind interactie, kwam naar voren dat moeders emotionele expressie tijdens de interactie met Steve over het algemeen zeer beperkt was. Haar stem had een zangerige kwaliteit die kunstmatig klonk en een vijandige toon had. Ze leek wel goed afgestemd te zijn op de prestaties van Steve, zoals het kunnen inschenken van vruchtensap en het nemen van rozijnen uit een doosje. Moeder maakte echter weinig oogcontact en had weinig middelen om Steve bij een taak te betrekken of hem erbij te houden. Gedurende de voeding vertoonde moeder een grote passiviteit en hanteerde zij onduidelijke grenzen, dikwijls aan Steve vragend of ze haar eigen snack mocht opeten. Er was geen gedeeld plezier en weinig conversatie gedurende hun gezamenlijke activiteiten.

Gedurende het gestructureerde speelmoment raakte moeder meer betrokken op haar zoon toe. Het was duidelijk dat ze trachtte de speltechniek die ze op het centrum aangeleerd had, toe te passen. Desondanks was ze niet in staat om Steve te volgen in zijn spel. Ze was intrusief en probeerde zijn spel te dirigeren en te controleren. De observator vond, tijdens de interactie tussen Steve en zijn moeder, dat de affectieve kwaliteit over het algemeen mager was behalve op die momenten wanneer moeder controle probeerde uit te oefenen: dan waren zowel moeder als zoon geprikkeld. Er was vaak gedeelde aandacht ten aanzien van een taak maar geen emotionele wederkerigheid. Steve leek angstig gehecht aan zijn moeder, hij protesteerde bij haar vertrek uit de kamer maar draaide zich weg van haar, zonder troost te zoeken, bij haar terugkeer.

De interactiestijl van beide ouders naar Steve toe werd gekenmerkt door spanning, een streven naar controle en een tekort aan emotionele expressie. Moeder leek sterke onderliggende emoties te ervaren. Vader vertoonde op verschillende momenten adequate gerichtheid naar Steve toe alsook een adequate deelname aan gezamenlijke activiteiten. Moeder was in staat om haar eigen stem te moduleren, zodat deze een meer moederlijke kwaliteit kreeg al gebeurde dit zelden. Haar toon was meestal hard en eisend.

Discussie

Steve vertoonde veel motorische en sensorische patronen die typerend zijn voor kinderen waarvan de moeders drugs hebben gebruikt tijdens de zwangerschap. De overgevoeligheid ten aanzien van geluiden en aanraking, de prikkelbaarheid, het slechte eten (oraal-motorische sensitiviteit) en de beperkingen in zelfregulatie en in het vermogen zichzelf te toosten passen allemaal bij de classificatie regulatiestoornis van het hypersensitieve type. Hij was, op zijn best, een uitdagend kind, maar in combinatie met de deprivatie en het misbruik in zijn omgeving ontwikkelde hij negativistisch en opstandig gedrag om aandacht van de omgeving te krijgen. Het is vanzelfsprekend dat de gedragsmoeilijkheden van Steve versterkt werden door de interactie met zijn moeder. Dit werd gekenmerkt door een streven naar controle, een doorgaans lage emotionele expressie en uitgesproken intrusief gedrag. De interactie was ernstig gestoord. De problemen van moeder bleken ook duidelijk uit haar inadequate verwachtingen naar hem toe (zindelijkheidstraining en de behoefte om van hem haar 'kleine man' te maken), en de poging om Steve te betrekken bij haar eigen behoeftebevrediging. Haar perceptie van Steve bestond uit onduidelijke en niet consequente grenzen waarin periodes van idyllische interacties werden afgewisseld met periodes van hoogoplaaiende strijd. De regulatieproblemen krijgen hier voorrang op as I en de interactie factoren worden weergegeven op as II.

Interventie

In deze casus zou het verleidelijk zijn om zich vooral te storten op de problemen in de ouder-kind relatie maar de diagnose wijst ook op het belang van interventies ten aanzien van de regulatieproblemen, mede ter verbetering van de interactiepatronen. De behandelaar dient de specifieke implicaties van de regulatieproblemen aan te geven; dit kan de ouder-kind relatie positief beïnvloeden zodat ze meer plezierig en succesvol wordt en zodat vroegere teleurstellingen verwerkt kunnen worden. Daarnaast is een activiteitenbegeleiding nodig met een thuisprogramma waarmee de ouders Steve kunnen helpen om in het dagelijks leven tot een betere adaptatie te komen narmate het beter met hem gaat. Dagelijks geplande spelsessies zou blijvende ondersteuning kunnen bieden om Steve's ontwikkeling en relaties te stimuleren.

Diagnose
As I: Regulatie- stoornis: type I, hypersensitief
As II: Ouder-kind relatiestoornis: overmatig betrokken
As III: Expressieve taalstoornis (DSM IV: 315.31)
As IV: Psychosociale stressfactoren: milde effecten
As V: Functioneel emotioneel ontwikkelingsniveau: op verwacht niveau maar met beperkingen

Casus 15 Suzy

Beschrijving
Suzy werd aangemeld voor een evaluatie op de leeftijd van 26 maanden, een aantal maanden na de geboorte van haar broer, wegens een toename van negatief "overgevoelig" gedrag.
Zij werd drie tot vier keer per nacht wakker, leek niet gelukkig, was zeer koppig, huilde snel omdat niets goed of snel genoeg voor haar leek. Moeder merkte op dat Suzy zeer afstandelijk tegen haar deed en haar vaak negeerde wanneer ze thuis kwam van haar parttime werk. Anderzijds kon Suzy ook zeer vrolijk zijn en lief, was zij een verstandig meisje, verbaal sterk, die graag werd voorgelezen en graag met vriendjes speelde. Zij genoot ook van spelen in de zandbak of wandelen met haar moeder.
De gegevens over haar ontwikkeling wezen op een normale zwangerschap en bevalling. Suzy was een gezonde baby met een geboortegewicht van 4000 gr. Moeder werkte niet gedurende de eerste vijf maanden, maar gaf aan dat er ruzie was geweest met haar echtgenoot die een alcoholprobleem had gedurende Suzy's eerste levensjaar.
Tijdens de eerste drie maanden was Suzy een prikkelbare baby met kolieken. Zij had nog steeds de neiging snel overprikkeld te raken door visuele en auditieve stimuli. Daarbij was langdurig wiegen en schommelen nodig om haar weer tot rust te krijgen. Zij glimlachte op een warme en betrokken manier op de leeftijd van 3 à 4 maanden, maar was snel afgeleid door geluid. Tussen de leeftijd van 4 en 10 maanden werd zij overheersend en aandachtvragend, met regelmatig moeilijke momenten.
Pas toen zij begon te lopen, op de leeftijd van 14 maanden, genoot zij 2 maanden lang van de controle over haar bewegingen en van het exploreren in huis.

Moeder voelde zich in de steek gelaten omdat zij het gevoel had dat haar dochter van haar wegliep. Zij hadden echter ook hun leuke momenten samen, wanneer Suzy op haar schoot zat en zij samen een boek lazen. Maar op de leeftijd van 16 maanden volgde er een negatieve periode, waarbij moeder meer vermoeid raakte als gevolg van haar tweede zwangerschap en de toenemende conflicten met haar echtgenoot die weer meer begon te drinken. Vader zag zichzelf als iemand die zichzelf onder controle had en die de neiging had passief en vermijdend met conflicten en confrontaties om te gaan, en die geneigd was te gaan drinken bij spanning of angsten. Hij was "blij" zijn dochter te zien, maar trok zich terug of was geërgerd wanneer zij eisend was of erg emotioneel. Moeder zei dat het aandachtvragende van haar dochter haar "leeg" maakte van binnen. Haar houding schommelde vaak tussen verwoede pogingen om haar dochter blij te maken en anderzijds heel controlerend en geërgerd gedrag. Wanneer zij met Suzy speelde, was zij gespannen en weinig spontaan, en toonde zij weinig emoties. Suzy, zeer verstandig en verbaal sterk, kon illusief spel ontwikkelen maar deed dit bloedserieus en raakte daarvan in zichzelf gekeerd in plaats van gericht te zijn op interactie met moeder. Als Suzy moeder zo buitenspel had gezet, voelde deze zich in de war en enigszins verlamd van angst, en was dan niet in staat om zich te mengen in het spel van haar dochter. Vader stelde zich meer intrusief dan vermijdend op, maar Suzy duwde hem weg en een patroon ontwikkelde zich waarbij vader toenadering zocht en dochter hem telkens buitenspel zette. Wanneer hij bijvoorbeeld "paardje" door de kamer probeerde te rijden, gilde zij woedend, en wilde dan terug naar haar speelgoed.

Zij communiceerden wel met elkaar, in de zin dat zij helder en duidelijk op hem reageerde en hij daarop reageerde met pogingen om het over te nemen.

Als deel van de evaluatie, aanvaardde Suzy hulp van de onderzoeker en werd er illusief spel opgestart. Zij kon haar ideeën duidelijk maken en raakte meer betrokken en vertrouwd tijdens het spelen.

Zij kon zich lange tijd met hetzelfde bezighouden, slaagde erin haar impulsen te controleren en te beheersen zelfs bij frustratie, maar bleef ernstig en verdrietig tijdens aanhoudende pogingen om haar poppen te laten rijden op de paarden. Haar spel breidde zich niet uit en miste nieuwsgierigheid, exploratie of sterke emoties. Zij was een georganiseerd, doelgericht en interactief kind met complexe gedragingen, maar zij miste plezier en spontaniteit. Haar beide ouders konden logisch en georganiseerd te werk gaan, maar de ene leek Suzy niets te kunnen bieden, terwijl de andere haar leek te willen controleren en te overprikkelen.

Suzy toonde zich leeftijdsadequaat wat betreft het aangaan van relaties, het intentioneel gebruik van gebaren, en het gebruik van vroege representaties om te communiceren. Zij was in staat haar impulsen te beheersen, zich te concentreren en een constante stemming te behouden. Tegelijkertijd waren er aanwijzingen dat haar affect beperkt bleef, met weinig plezier, spontaniteit of creativiteit. Haar voorgeschiedenis wees op prikkelbaarheid en schommelingen in affect en van jongs af aan een lage frustratietolerantie. Ten tijde van het onderzoek vertoonde zij een vermindering in leeftijdsadequaat functioneren en was zij duidelijk ingeperkt, speciaal op gebieden van beleving van plezier, blijdschap en spontaniteit en was er de neiging tot grotere stemmingslabiliteit.

Discussie
In dit geval dient met verschillende elementen rekening te worden gehouden. Suzy toonde als baby individuele gevoeligheden ten aanzien van geluid en aanraking, wat zowel aanleiding gaf tot prikkelbaarheid en rusteloosheid, als tot de ontwikkeling van stemmingsschommelingen. Zij en haar ouders hadden moeite met de onderlinge interactie, wat leidde tot een gebrek aan plezier en spontaniteit en beperkingen in de uiting van affecten. Met het ouder worden, leken haar specifieke gevoeligheden zich op te lossen en leek Suzy niet langer angstig. Zij ontwikkelde zij zich goed wat betreft motorische, cognitieve en verbale vaardigheden, had vriendjes, en toonde niet meer de prikkelbaarheid en humeurigheid zoals beschreven in de voorgeschiedenis tijdens de huidige evaluatie.
Meest opmerkelijk waren de beperkingen in emotionele expressie en affecten, die deels tot uiting kwamen in haar langdurende negatieve en ontevreden gevoelens. De ouder-kindrelatie was gespannen en niet plezierig. Hoewel zij slaapproblemen had, waren deze niet overheersend. Terwijl de verdere groei de individuele gevoeligheden opgelost leek te hebben en deze niet hadden geleid tot regulatieproblemen, dient de diagnose regulatiestoornis toch opgenomen te worden in de differentiaal diagnose.

Interventie
Ontwikkelingsfactoren hadden al gewerkt in het voordeel van Suzy, maar toch bleef zij een weinig gelukkig kindje met belangrijke beperkingen. Drie componenten moeten ingebouwd worden in de interventie. Ten eerste zou ouderbegeleiding de ouders kunnen helpen een manier te vinden om Suzy in staat te stellen de controle te houden, maar dan eerder door het maken van keuzes dan door massale afwijzing. Verder dienen haar ouders te leren behulpzaam te zijn bij overgangen en tijdens conflictvolle momenten en dienen zij te leren verstandig om te gaan met eisen en met het stellen van regels. Positief bekrachtigen en belonen bij gewenst gedrag, ondertussen uitleggen wat ze zo goed gedaan heeft (bijvoorbeeld "goed dat jij naar alle stukjes hebt gekeken voor je begon", "goed dat jij hebt gewacht om te zien of we klaar waren voor je de deur open deed") zal Suzy's zelfvertrouwen en competentiegevoel versterken.
Ten tweede, korte psychotherapie zal de ouders helpen bij het verwerken van gevoelens van incompetentie, afwijzing, woede en teleurstelling. Dit zou hen kunnen helpen bij het overwinnen van hun eigen beperkingen om zo beter in staat te zijn om aansluiting te vinden bij hun dochter en samen plezier te hebben.
Ten derde, zouden gezamenlijke spelsessies nuttig kunnen zijn vanwege Suzy's beperkt affect, ter bevordering van de symbolische expressie van gevoelens en om Suzy veilig te laten experimenteren met een breder scala aan gevoelens.

Vanwege haar neiging om haar ouders te negeren en af te wijzen, zullen zij haar spoor met gevoel moeten volgen en de controle respecteren die zij over het spel heeft. Ondertussen wordt zij in staat gesteld om uit te testen dat anderen haar wensen, angsten, impulsen en andere gevoelens accepteren.

Deze sessies zouden de dagelijkse gezamenlijke spelsessies thuis ondersteunen en leiden tot meer reflectie in gesprekjes. De interventie hoeft niet lang te duren, maar het is belangrijk deze drie componenten in te bouwen met een follow up consultatie bij de volgende ontwikkelingsmijlpalen.

Diagnostische Impressie

As I: Stoornis in het affect: Gemengde stoornis van emotionele expressiviteit
As II: Hoewel de relatie met significante angst en spanning verloopt, is deze niet dusdanig gestoord dat er over een stoornis gesproken kan worden
As III: Geen diagnose
As IV: Psychosociale stressfactoren: milde impact
As V: Functioneel emotioneel ontwikkelingsniveau: op verwacht niveau van representaties met beperkingen

Casus 16 Tommy

Beschrijving

De 36 maanden oude Tommy kwam onhandig de kamer binnen, keek rond, wierp een vluchtige blik naar de onderzoeker en liep vervolgens doelloos rond in de kamer. Hij sloeg geen acht op de onderzoeker of het speelgoed in de kamer. Terwijl hij rondliep gaf hij indirect blijk van enige emotionele betrokkenheid ten aanzien van zijn ouders. Hij keek niet naar hen, maakte geen oogcontact en communiceerde ook niet non verbaal.

Na een paar minuten rondlopen, kwamen er enkele elementen van doelgerichte activiteit naar voren. Hij nam een duwpop speeltje en begon erop te duwen met de hulp van zijn vader. Hij trachtte de deur van de kamer te openen om te vertrekken maar trok zich terug toen gezegd werd: "Nee, niet doen!" Hij gaf hierbij geen krimp, keek ook niet even op naar zijn ouders maar liep gewoon naar iets anders toe. Terwijl hij rondliep maakte hij verschillende hoge achtereenvolgende geluiden, waaruit echter geen verstaanbare woorden of klanken konden worden onderscheiden. De moeder leek depressief en moe terwijl zij hem een brandweerwagen aanreikte, die hij wel aannam, kort bekeek en vervolgens op de grond liet vallen om daarna weer rondjes te lopen.

De moeder probeerde Tommy te volgen en responsief en congruent te reageren zelfs wanneer hij haar negeerde. Ze beantwoordde zijn gebaren met veel levendigheid en beschikbaarheid. Wanneer Tommy probeerde de deur te openen wisselden ze enkele gebaren uit en keek hij maar ging niet over tot imitatie. De vader was meer gespannen, hij trachtte te structureren en nam zaken over, hij stelde het ene na het andere voor en betrok Tommy bij verschillende spelletjes waaronder het vangen van een bal en het lezen van een boek. Tommy werd erin meegevoerd, maar vond geen manier om de draad op te pakken terwijl vader ondertussen zijn best deed met het introduceren van nieuwe elementen

of spelmateriaal. Zodra hij kon, liep Tommy weg en was het contact met vader verbroken. Hij gebruikte geen woorden of intentioneel brabbelen, alleen
geluiden van frustratie. Uiteindelijk wees hij naar zijn moeders handtas en na
haar goedkeuring nam hij er een koekje uit. Tijdens het eten toonde hij een
aangenaam, georganiseerd contact met zijn vader en gaf hem zelfs een koekje
toen deze erom vroeg. Hij ontspande, maakte enkele gerichte gebaren naar
zijn vader, en toonde wat lieve glimlachjes. In het algemeen was het Tommy's stijl om eerst een beetje betrokkenheid te tonen, dit vervolgens niet vast
te houden, en vervolgens doelloos rond te lopen en dan weer even opnieuw
contact aan te gaan.
De zwangerschap en de geboorte van Tommy waren zonder problemen verlopen. Hij was de eerste twee maanden van zijn leven erg alert en veel wakker,
tien tot twaalf uur per dag, en hij was een heel gemakkelijke baby. Hij hield
ervan rond te kijken, hield van muziek en van ruwe wilde bewegingen. Hij
hield ook van verschillende soorten aanraking. Hij was altijd een goede slaper
en eter geweest en leek aanvankelijk meer nieuwsgierig en betrokken dan de
meeste baby's: hij volgde zijn moeders stem en gezicht en reageerde op haar
handelingen. Hij hield ervan om kiekeboe te spelen en zodra hij kon kruipen
kwam hij door de kamer naar zijn vader om samen met hem een voetbalspel-
letje te spelen.
Met één jaar manifesteerde hij zich als een sensitieve, open, verbaal ingestelde
en alerte jongen, die erg uitkeek naar nieuwe ervaringen en nieuwe mensen.
Vader gaf aan dat Tommy's temperament erg op zijn eigen temperament leek
en dat hijzelf een voorgeschiedenis had van angst en vermijding, die behandeling geëist hadden. Moeders eigen psychiatrische anamnese en die van beide
families was verder blanco. Moeder ging weer parttime werken toen Tommy 8
maanden oud was en stopte weer toen hij 14 maanden was, om weer zwanger
te worden. Tommy had een vaste verzorger en was ook zeer vertrouwd geraakt
met zijn grootmoeder.
Als peuter hield Tommy erg veel van plaatjes kijken. Hij was in vergelijking
met andere kinderen een wat verlegen 'kat uit de boom' kijker die langzaam
opwarmde en die uiteindelijk wel samen met hen ging spelen. Met 21 maanden gebruikte hij verschillende woorden en was hij in staat tot samenspel.
Rond die periode, kreeg hij een reeks oorontstekingen, waarvoor hij verschillende keren antibiotica kreeg. Hij werd geleidelijk aan meer angstig en bang,
met herhaaldelijke nachtmerries en angsten voor vreemden, onbekende kinderen en zelfs clowns. Toen hij 24 maanden oud was, werd zijn zusje geboren
en huilde hij van jaloezie als zij werd vastgehouden. Ook huilde hij heftig
wanneer hij haar zag en probeerde haar te duwen en te slaan. Gaandeweg
verloor Tommy zijn spraak en werd hij meer teruggetrokken. Hij verloor zijn
interesse in speelgoed en boeken en was de meeste tijd hyperactief en had een
afstandelijke starende blik. Een aantal lichamelijke, neurologische en metabole onderzoeken werden ingezet, maar alle bevindingen waren negatief. Tommy
begreep nog steeds de dagelijkse aanwijzingen en minimale gebaren maar de
meeste tijd bracht hij door met heen en weer rennen, met springen, fladderen
of friemelen met zijn handen en met doelloos roepen.

Discussie

De etiologie van Tommy's achteruitgang is onduidelijk. Er kunnen 3 globale factoren onderscheiden worden: een milde, constitutioneel bepaalde kwetsbaarheid, de psychologische stress door de geboorte van zijn zus en mogelijke fysiologische stress geassocieerd met middenoorontstekingen en het langdurig gebruik van antibiotica. De aard van Tommy's symptomen, gegeven zijn goede vroege ontwikkeling, roept meer vragen op dan antwoorden en (en dit komt niet zelden voor).

Er zijn ook enkele positieve factoren in de situatie zoals het feit dat Tommy zijn affectie ten aanzien van zijn ouders deels heeft behouden evenals de mogelijkheid om, wanneer hij sterk gemotiveerd is, een organisatieniveau te bereiken overeenkomstig een leeftijd van 14-16 maanden. Op dit moment echter toont hij tekortkomingen in verschillende gebieden van zijn ontwikkeling met een significante afname in het vermogen tot prikkelverwerking alsook in het aangaan van communicatie en relaties.

Interventie

Tommy zal voordeel hebben bij een heel intensief interventieprogramma gericht op de verschillende aspecten van zijn stoornis. Dit houdt in: de problemen met de sensorische verwerking, met het aangaan van relaties en communicatie, en op leergebied (inclusief taal en cognitie). Ter ondersteuning van de sensorische verwerking is een therapie (psychomotorische integratietherapie) geïndiceerd met de nadruk op integratie van sensorische ervaringen in een frequentie van meerdere keren per week. Bovendien dienen de ouders gesteund te worden bij het ontwikkelen van een thuisprogramma dat voorziet in een continue ondersteuning om Tommy te betrekken in regulatie-activiteiten (zoals zwemmen, springen op een trampoline of een matras). Logopedie is geïndiceerd en audiologisch onderzoek dient plaats te vinden.

Er dient ook een intensief programma ingezet te worden om de mogelijkheden tot het aangaan van betrokken relaties te vergroten: door hem te volgen wanneer hij initiatief neemt en wanneer hij iets doelbewust doet, om hem indirect te dwingen tot uitbreiding van (non verbale) communicatie, door je voor de domme te houden of in de weg te gaan staan, en door te werken aan het openen en sluiten van zo genaamde communicatiecirkels om Tommy te helpen op een meer consistente manier over en weer communicatie aan te gaan. Deze inspanningen dienen erg intensief te zijn omdat Tommy leerervaringen niet organiseert met uitzondering van ervaringen die tegemoet komen aan zijn primaire behoeften zoals eten. Het is belangrijk dat Tommy geen gelegenheid krijgt om zich terug te trekken; dit betekent geen tijd waarin hij passief naar video's kijkt of geen interactie aangaat met anderen of niet betrokken is in een doelgerichte activiteit. Indien Tommy hierop reageert, zullen er wellicht mogelijkheden zijn om het interventieniveau te verplaatsen naar meer symbolisch leren door woord- en doe-alsof spel, als hij meer mogelijkheden heeft ontwikkeld om relaties aan te gaan. Afhankelijk van de vooruitgang met het hierboven geschetste programma, moeten aanvullende onderzoeken worden overwogen. Als de vooruitgang niet significant is of onduidelijk, zal gelijktijdig met het hierboven geschetste programma een meer gestructureerd en intensief een op een programma overwogen moeten worden, waarin gedragstechnieken met bekrachtiging worden gebruikt om Tommy te helpen met het beter volgen van aanwijzingen, met imitatie, met cognitieve taken en met taalgebruik. Dit deel van de interventies kan thuis gebeuren of in het kader van een speciaal trainingsprogramma. In dit programma dient ook het contact met kinderen die communicatief en interactief zijn ingesteld meegenomen te worden, zodat Tommy van anderen kan leren met tussenkomst van een leraar of een assistent.

Diagnostische indrukken
As I: Multisysteem ontwikkelingsstoornis
As II: Geen relatieclassificatie
As III: Geen op dit moment
As IV: Psychosociale stressfactoren: matig effect
As V: Functioneel emotioneel ontwikkelingsniveau: verwacht niveau niet bereikt, heeft vorige niveau's verloren

Casus 17 Marvelle

Beschrijving
Marvelle (38 maanden) is het dochtertje van moeder Janice (22 jaar) en van mijnheer R. (leeftijd onbekend). Janice is werkloos, krijgt een uitkering en functioneert op de grens van zwakbegaafdheid. Zij volgde buitengewoon onderwijs. Janice had een voorgeschiedenis van emotionele problemen, waaronder verbaal explosieve reacties, fysieke agressie naar anderen, seksueel onaangepast gedrag (zoals masturberen in het bijzijn van haar pleegmoeder) en suïcidaliteit. Zij verbleef in verschillende pleeggezinnen en twee jaar in een tehuis. Daarna volgde een residentiële psychiatrische behandeling. De diagnose luidde borderline persoonlijkheidsstoornis en dysthyme stoornis.
Janice werd verwezen door justitie, ter evaluatie van haar pedagogische capaciteiten en voor een diagnostische screening van Marvelle. Deze verwijzing volgde op een incident waarbij Marvelle tweede- en bijna derdegraads brandwonden aan haar voeten had opgelopen. Ze was toen voor een tweetal maanden door Janice toevertrouwd aan de moeder (mevrouw C.) van één van haar kennissen, omdat in Janice's appartement geen kinderen werden toegelaten.
Tijdens de consultatie praatte Janice regelmatig tegen Marvelle, maar het betrof hoofdzakelijk het herhalen van corrigerende boodschappen. Haar stem klonk boos en vijandig, ze toonde weinig positief affect naar haar dochter toe, behalve tijdens het vrije spel. Tijdens de gestructureerde sessie was zij weinig enthousiast en toonde weinig plezier in het samenzijn met haar dochtertje.
Janice ging op een ruwe manier om met Marvelle en toonde zich soms intrusief door bijvoorbeeld herhaaldelijk te blijven kietelen. Knuffelen werd eenmaal kort waargenomen. Janice maakte uitsluitend oogcontact met Marvelle

bij berispingen of correcties. Zij keek Marvelle nooit aan vanuit een positieve instelling. Het was bovendien erg moeilijk voor Janice om haar gedrag af te stemmen op de ontwikkelingsbehoeften van haar kind. Zij kon slechts zeer beperkt duidelijk maken wat ze van haar dochter verlangde; ze kon haar aandacht hierop onvoldoende richten. Janice neigde ertoe onvoorspelbaar te reageren op het negatieve of ongehoorzame gedrag van haar dochter, maar gaf vrijwel geen aandacht aan positief leeftijdadequaat gedrag. Het inschatten van Marvelle's emoties en hier op reflecteren was moeilijk voor haar.

Marvelle daarentegen, toonde veel positief affect, was blij in het gezelschap van haar moeder en genoot van wat ze kon. Zij slaagde er in haar aandacht bij een activiteit te houden en kon frustratie hanteren. Tegelijkertijd gooide zij echter impulsief het testmateriaal naar haar moeder toen deze geen erkenning uitte voor haar prestaties. Marvelle vertoonde ook vermijdingsgedrag, zoals het zich onttrekken aan Janice wanneer deze opmerkingen maakte: zij maakte dan nog slechts zeer vluchtig oogcontact. Marvelle gedroeg zich tijdens het testen regelmatig ongehoorzaam: speelde op haar eigen manier met het testmateriaal, liep weg van de tafel en weigerde één keer met haar moeder te spelen. Marvelle had de neiging om haar moeders grenzen uit te testen door, alvorens te gehoorzamen, op een uitdagende manier te wachten tot moeder dreigend naar haar toe kwam.

De moeder-kind dyade werd gekenmerkt door een gebrekkige wederkerigheid en zeer beperkte gedeelde aandacht. Er waren weinig beurtwisselingen en slechts korte dialoogjes, waarbij beiden slecht afgestemd waren op de ander. Er was een grote discrepantie in mate van opwinding en activiteit tussen moeder en Marvelle, en ook tussen hun beider emotionele gesteldheid. Ze leken als het ware gevangen in een rigide patroon van niet-wederkerige communicatie, waaruit geen van beiden voldoening haalden. Toch gaf Janice aan dat ze graag bij Marvelle was wanneer Marvelle braaf was en wanneer ze samen konden spelen. Het meest frustrerend vond ze de ongehoorzaamheid en het feit dat ze niet steeds wist wat Marvelle nodig had, wenste of voelde. Marvelle herinnerde moeder aan haarzelf, zowel wat betreft het temperament als het uiterlijk. Janice gaf aan dat Marvelle op dezelfde manier boos werd en zeurde als zijzelf vroeger.

Er was vrijwel geen sociaal netwerk beschikbaar voor Janice en Marvelle. Janice verbleef niet langer in hetzelfde complex als mevrouw C. Haar enige steunfiguur was haar huidige partner maar deze relatie was dermate conflictueus dat het eerder stressverhogend was.

Bespreking

Bij de driejarige Marvelle zijn specifieke interventies nodig. Haar spraak- en taalontwikkeling blijft vertraagd verlopen, en haar sociale en emotionele toestand is zorgwekkend. Zij ervaart de anderen als zorgend maar tegelijkertijd agressief; patronen die zij kent uit het gedrag van haar moeder. Zij is ambivalent in haar interacties met Janice, wil toenadering en tegelijk afstand. Zij doet pogingen om haar moeder uit haar zelfabsorptie en stress te halen, maar kan moeilijk de intensiteit van diens behoeften en onbegrensde intrusiviteit tolereren. Deze angstige gehechtheid maakt dat Marvelle ongedifferentieerd andere personen opzoekt die mogelijk responsief naar haar zouden kunnen zijn. In relationeel opzicht is sprake van verbale en fysieke mishandeling en van een gebrek aan voorspelbaarheid en begrenzing.

Marvelle toont niet de symptomen van een kind dat werd blootgesteld aan een trauma, wellicht omdat haar hele leventje traumatisch verlopen is. Hoewel de verbranding geen bijkomende symptomen veroorzaakte, stellen we vast dat de aanhoudende verwaarlozing, mishandeling en het sterk verstoorde zorggedrag van moeder, resulteren in patronen van aantrekken en afstoten, ongedifferentieerd toenadering zoeken tot anderen en in boos/vijandig gedrag. Dit gedragspatroon wijst op een reactieve hechtingstoornis.

Interventie
Gezien de vele, persisterende risicofactoren in deze situatie, moet de interventie uitgebreid en flexibel zijn, met het accent op langdurige therapeutische relaties voor moeder en kind. Dit therapeutisch programma dient zowel thuisbegeleiding als onderdelen in het behandelcentrum te bevatten, met interventies in de eigen omgeving, op het gebied van vervoer, psycho-educatie, opleiding en werk. De begeleiding dient zowel in groepsverband als individueel te zijn en gericht op de moeder-kind interactie. In eerste instantie dient Janice te worden begeleid bij het organiseren van een stabiele leefsituatie voor zichzelf en haar kind (mogelijk op een afdeling voor moeder en kind of een gezinsafdeling), en bij het voorzien in de basale zorg zoals voeding, kleding en medische zorg. Een therapeutisch programma met begeleide spelmomenten tussen ouders en kinderen kan bijdragen aan plezierige en meer bevredigende interacties. Een oudergroep zou voorzien in contacten met en ondersteuning door leeftijdsgenoten onder meer voor het gezamenlijk ontwikkelen van oplossingsstrategieën. Afhankelijk van Marvelle's reactie op dit breed therapeutisch aanbod, kan overwogen worden om daarnaast individuele therapie of logopedie aan te bieden. De impact van Janice's moeilijke leven en de ervaring van herhaaldelijke mislukkingen moeten op lange termijn worden doorgewerkt. De mate waarin Janice voordeel kan halen uit de verschillende aspecten van het therapeutisch aanbod, alsook uit de begeleiding met betrekking tot haar werksituatie en de opvoeding van haar kind, zal samenhangen met de mate waarin zij er in slaagt een goede en ondersteunende therapeutische relatie aan te gaan. Met het oog op Marvelle's leeftijd en de ernst en de duur van de stress waaraan zij werd blootgesteld, zal een vertrouwde relatie nodig zijn buiten haar moeder en een goede dagopvang, waar zij kan leren hechtingsfiguren te vertrouwen en haar gevoelens te uiten zonder angst voor mishandeling. De individuele therapeuten zullen tevens werken met de dyade gedurende de behandeling.

Diagnostische Impressie

As 1: Reactieve hechtingstoornis, "maltreatment disorder"
As 2: Ouder-kind relatiestoornis: verbale en fysieke mishandeling
As 3: Gemengd receptieve - expressieve taalstoornis (DSM IV code 315.31)
As 4: Psychosociale stressfactoren: ernstige gevolgen
As 5: Functioneel emotioneel ontwikkelingsniveau: op verwacht niveau met beperkingen

Index voor primaire diagnoses van casus

Bijlage 1

Globale Beoordelingsschaal voor de
Ouder-Kind Relatie: PIR-GAS (Parent-Infant
Relationschip-Global Assessment Scale)

Deze schaal dient voor het vastleggen van de beoordeling van de kwaliteit van de ouder-kind relatie binnen een continuüm van 'uitstekend geadapteerd' tot 'ernstig afwijkend'. Deze schaal wordt gescoord na volledige evaluatie van het kind. Relatieproblemen kunnen gepaard gaan met symptomatische gedragingen van het kind, maar zijn daarmee niet synoniem. Dit betekent, dat het kind ernstige symptomen kan vertonen zonder relatiepathologie en dat relaties pathologisch kunnen zijn zonder zichtbare symptomen bij het kind. De oorzaak van de relatieproblemen hoeft niet bekend te zijn; er kunnen factoren zijn in het kind, in de verzorger, en in de unieke combinatie tussen kind en verzorger, of in de bredere sociale context. Men dient hier wel uitsluitend het relatiepatroon te scoren en niet de ernst van de stressfactor.

90 Uitstekend geadapteerd
De relaties en interacties zijn hier buitengewoon goed. Er is niet alleen wederkerig plezier en zelden conflict, maar de relaties zijn bevorderlijk voor de groei en ontwikkeling van beide deelnemers.

80 Voldoende geadapteerd
De relaties vertonen hier géén significante pathologie. Relaties en interacties zij vaak wederkerig, synchroon en tamelijk plezierig. Het ontwikkelingsproces wordt niet belemmerd door het relatiepatroon, dat "goed genoeg" is voor beide deelnemers.

70 Verstoord: beperkt tot één probleemgebied, van voorbijgaande aard
De relaties functioneren hier niet optimaal. De verstoring beperkt zich tot één domein van functioneren, en globaal functioneert de relatie nog redelijk goed. De verstoring duurt enkele dagen tot een paar weken.
Voorbeeld: uitputtingsreactie van ouders door de slaapproblemen van een ziek kind; of verminderde aandacht, na een verhuizing, voor een kind dat zichzelf moeilijker kan reguleren in de nieuwe omgeving.

60 Verstoord: beperkt tot enkele probleemgebieden, van voorbijgaande aard
De relaties staan hier deels onder druk, maar zijn voor beide deelnemers nog vrij goed en bevredigend. De verstoring is niet doorgedrongen tot alle aspecten van de relatie, maar blijft beperkt tot een of twee probleemgebieden. Het ouder-kind paar lijkt verder de moeilijkheden succesvol aan te pakken en het patroon is niet duurzaam. De stoornis duurt niet langer dan een maand. Er is sprake van stress bij verzorgers maar zonder overbelasting over het verstoorde relatiepatroon; dit wordt eerder gezien als te verwachten reacties van korte duur.
Voorbeeld: voor het eerst voedselweigering bij een peuter na de geboorte van een nieuwe baby.

50 Verstoord: beperkt tot enkele probleemgebieden, langer durend
De relaties zijn hier meer dan tijdelijk verstoord, maar er rest nog enige flexibiliteit en adaptief vermogen. Een van de deelnemers lijdt duidelijk onder de relatie en de ontwikkelingsvoortgang wordt bedreigd indien géén verbetering optreedt. Ongeacht het wel of niet aanwezig zijn van bezorgdheid bij de verzorgers zijn manifeste symptomen als gevolg van de relatieproblemen onwaarschijnlijk.
Voorbeeld: een kind is vaak overstuur als de moeder zijn/haar signalen negeert om wat rustiger aan te doen tijdens de voedingen of andere interacties. Op andere gebieden van functioneren zijn er géén interactieproblemen of leed bij het kind.

40 Gestoord: nog niet diep verankerd, het vermogen tot adaptatie staat onder druk
De relaties vormen hier een duidelijk risico voor het functioneren van het ouder-kind paar. De adaptieve kwaliteiten worden overschaduwd door de problematische aspecten van de relatie. Hoewel de disfunctionerende patronen nog niet diep verankerd zijn, zijn ze niet van voorbijgaande aard en hebben een negatieve invloed op de subjectieve ervaring van een of beide deelnemers.
Bijvoorbeeld: ouder en kind zijn excessief in machtsstrijd gewikkeld aangaande het eten, aankleden en slapen gaan. Alhoewel ouder en kind uit zijn op plezierige interacties lopen deze vaak uit de hand, waarna een of beide overstuur achter blijven.

30 Gestoord: hardnekkige maladaptieve patronen, die relatief stabiel zijn
De relaties worden hier gekenmerkt door relatief stabiele, maladaptieve interactiepatronen en leed voor één of beide deelnemers binnen de context van de relatie. Hardnekkig slecht afgestemde interacties, met veel verdriet zijn hier kenmerkend. Hoewel interacties binnen gestoorde relaties meestal conflictueus zijn, kunnen ze ook zeer belemmerd zijn voor de ontwikkeling zonder dat er sprake is van openlijke conflicten.
Bijvoorbeeld: een depressieve ouder zoekt steeds troost en verzorging bij zijn of haar kind (rolomkering).

20 Ernstig gestoord: duurzame en diep verankerde maladaptieve interactiepatronen

De relaties zijn hier ernstig in gevaar. Een en waarschijnlijk beide deelnemers lijden ernstig onder de relatie. Maladaptieve diep verankerde interactiepatronen, lijken slecht vatbaar voor verandering en duurzaam te zijn, soms met een sluimerend begin. De interacties zijn vrijwel continu conflictueus.

Voorbeeld: een vader en zijn kind zijn vaak in conflict. De vader stelt géén grenzen totdat hij woedend wordt en de peuter slaat. De peuter is provocerend waardoor de woede van de vader steeds verder oplaait met vrijwel continu conflicten.

10 Ernstig afwijkend, met direct gevaar voor het kind

De relaties zijn hier gevaarlijk ontregeld. Interacties zijn dermate vaak verontrustend, dat de lichamelijke integriteit van het kind gevaar loopt.

Bijlage 2
Multisysteem Ontwikkelingsstoornissen
(Multisystem Developmental Disorders)

Hieronder volgt een voorstel voor beschrijvende criteria voor de drie typen multisysteem ontwikkelingsstoornissen.

Omdat sociaal gedrag leeftijdsgebonden is, gelden de volgende richtlijnen:

*   Patroon A kan alleen geclassificeerd worden bij een kind van minstens 5 maanden oud (wanneer de eerste eenvoudige gebaren en intentionele communicatie verwacht kunnen worden).
*   Patroon B kan alleen geclassificeerd worden bij een kind van minstens 9 maanden oud.
*   Patroon C kan alleen geclassificeerd worden bij een kind ouder dan 15 maanden.

Patroon A

Betrokkenheid en interactie: Deze kinderen maken hoofdzakelijk een zeer afstandelijke en doelloze indruk. Zij zijn slechts te betrekken via directe sensorische stimulatie, waarbij de reactie indirect is en via de sensorische prikkel verloopt.

Bijvoorbeeld de ander aankijken als deze hun weg blokkeert of de hand legt op een plek die zij aanraken, of het steeds maar onder kussens bedolven willen worden of andermans hand vasthouden om op en neer te springen.

Affect: Interpersoonlijke warmte of plezier ontbreken; zij vertonen vlak of niet adequaat modulerend affect.

Communicatie en taalgebruik: Deze kinderen vertonen weinig of géén intentionele gebaren die consistent gebruikt worden, tenzij in het kader van de hang naar prikkels of voedsel. Expressieve taal en symbolisch spel ontbreken en zij tonen zelfs géén belangstelling voor sommige voorwerpen.

Sensorische verwerking: Deze kinderen vertonen meer autostimulatie en ritmisch gedrag dan persevererend gedrag met voorwerpen (in tegenstelling tot Patroon C). Ze zijn voortdurend op zoek naar lichamelijke sensaties, met behulp van beweging, aanraking, pressie, kijken, etc., maar zijn daarbij niet in staat deze ervaringen te koppelen aan interacties met personen en gevoelens. Enerzijds reageren ze te weinig op sensorische prikkels en hebben een lage tonus, waardoor ze steeds intensievere prikkels nodig hebben om te reageren.

Anderzijds kunnen ze plotseling overmatig reageren op bepaalde prikkels die ze ook willen vermijden. Zowel hypo- als hyperreactiviteit zijn kenmerkend. Er is sprake van een overmatige reactie op aanraking en op bepaalde auditieve prikkels en te weinig reactie op vestibulaire en proprioceptieve prikkels, hetgeen resulteert in een hang naar prikkels via anderen verkregen of via autostimulatie. Deze kinderen hebben verder een slecht gevoel voor de eigen lichaamspositie in de ruimte (vaak is intense fysieke activiteit nodig om feedback te registreren) en de motorische planning is problematisch (grote moeite met reeksen bewegingen die nodig zijn om speelgoed te manipuleren, om te bouwen, puzzels te leggen, etc....). De hang naar prikkels verschaft dan de enige opening voor intentionele communicatie en taal.

Adaptatie: Deze kinderen neigen zowel tot zeer heftige reacties op nieuwe ervaringen of veranderingen in routines en omgeving, met extreme woede uitbarstingen of paniek, of zij vertonen nauwelijks enige reactie en sluiten zich af.

Dit patroon dient niet geclassificeerd te worden bij kinderen jonger dan vijf maanden: het vermogen tot contact en tot aandacht ontwikkelt zich weliswaar vroeger, maar hoeft nog niet zichtbaar te zijn onder de leeftijd van vijf maanden, vanwege de normale individuele variaties.

Interventies die de nodige sensorische en affectieve betrokkenheid bieden en rekening houden met de hyporeactiviteit, overgevoeligheden en motorische planningproblemen kunnen de betrokkenheid en doelgerichtheid van deze kinderen geleidelijk doen toenemen.

Patroon B

Betrokkenheid en interactie: Deze kinderen zijn wisselend in staat tot contact, en lijken snel te vluchten uit situaties waar nauwere betrokkenheid is vereist. Ze participeren kortdurend aan een activiteit met een ander maar doen dit op indirecte wijze.

Voorbeeld: deze kinderen zijn van tijd tot tijd te betrekken door blokkering van hun repetitieve activiteiten (zoals tijdens het heen en weer duwen van een trein, de weg blokkeren, of het verstoppen van de auto die ze willen hebben, etc....).

Affect: Het affect lijkt toegankelijk maar vluchtig, met korte momenten van oppervlakkige tevredenheid en plezier, maar met uitblijven van sociale vreugde en plezier. Deze kinderen neigen ertoe zich te vermaken met repetitieve of persevererende activiteiten met voorwerpen (in plaats van alleen autostimulatie), maar zijn tevens te zeer afhankelijk van het eenzijdig focussen op deze voorwerpen om andere sensorische en sociale prikkels onder controle te krijgen en te moduleren (zie hieronder).

Communicatie en taal: Deze kinderen zijn intermitterend in staat tot eenvoudige intentionele gedragingen, inclusief gebaren, vocalisaties en affectieve signalen in de interacties rond een mechanische activiteit zoals een speeltje aanpakken en het steeds weer weggooien. Soms zijn constructieve interacties mogelijk, zoals het aanreiken van een blokje om te bouwen, of het toevoegen van een auto aan een rij (zolang hun 'orde' maar niet verstoord wordt). Rond het eerste jaar, kan het kind enkele woorden gaan spreken, zoals 'dag', 'fles', 'mama' of 'papa'; maar daarna stopt de taalontwikkeling en in feite treedt verlies op van woorden die op de leeftijd van 15 à 24 maanden aanwezig waren.

Sensorische verwerking: Deze kinderen vertonen meer gemengde patronen van sensorische reactiviteit en spierspanning. De interne organisatie van deze kinderen is veel beter (dan bij patroon A), zoals blijkt uit het zoeken naar prikkels: opzettelijk gaan rennen, springen, in beweging willen zijn, en zoeken naar tactiele prikkels. Zij tonen ook een groter gevoel voor de eigen lichaamspositie in de ruimte, en stappen ook niet steeds overal op of doorheen. Visuele en ruimtelijke vaardigheden zijn vaak beter ontwikkeld dan de auditieve verwerkingcapaciteiten. Puzzels maken en richtingsgevoel kan ze goed af gaan. Motorische planning is echter nog heel moeilijk, maar eenvoudige of goed geoefende reeksen van gedrag zijn mogelijk (bijv. van de glijbaan glijden) of spel met voorwerpen die eenvoudige oorzaak-gevolg effecten hebben, zoals rollende voorwerpen (knikkerbaan).

Adaptatie: Het kind kan slecht tegen veranderingen en overgangen, maar kan zich aanpassen aan routines indien het niet wordt overbelast door een overmaat aan prikkels. Het blijft beperkt in de hoeveelheid ervaringen die het kan verwerken, de beperkingen met eten en kleding inbegrepen.

Dit patroon dient niet geclassificeerd te worden bij kinderen jonger dan negen maanden, het vermogen deze reeksen van interactie aan te gaan begint weliswaar vroeger, maar hoeft nog niet zichtbaar te zijn beneden de negen maanden, vanwege de normale individuele variaties.

Interventies die de reeksen van interactie uitbreiden kunnen ertoe bijdragen dat deze kinderen steeds complexere gedragmatige en affectieve interacties gaan vertonen.

Patroon C

Betrokkenheid en interactie: Het kind is wel betrokken naar anderen toe maar is daarin wisselend, hij/zij moet veelal de controle hebben en bepaalt wanneer de interactie begint en eindigt. Het kind kan wel worden overgehaald, direct en met voorwerpen, maar raakt gemakkelijk overbelast. In dat geval volgt een gerichte terugtrek reactie, zoals naar een andere uithoek lopen of zich verstoppen achter een stoel. Soms wordt het oogcontact hervat als het 'veilig' is. Deze kinderen zijn te betrekken in constructieve interacties, voortbouwend op hun belangstelling en favoriete voorwerpen, zoals het verstoppen van de autosleutels, of samen treinen laten botsen. Dergelijke activiteiten lokken vaak een glimlach uit. Deze kinderen neigen vaak sterk tot persevereren en tot preoccupaties met bepaalde voorwerpen, maar zij staan interactie toe in de persevererende activiteit, bijvoorbeeld op speelse wijze weg duwen van iemands hand van de deur die ze steeds weer open en dicht willen doen. Ze zijn wel te overhalen tot interactie en interferenties worden beter getolereerd. Het kind heeft een besef van wat het wil en doet enige moeite er zelf uit te komen. Het kind zoekt veiliger grenzen op, zoals het vergroten van de afstand door achter een bank te gaan staan zodat de interactie meer overzichtelijk verloopt.

Affect: Korte momenten van duidelijk plezier in de interactie wisselen elkaar af met momenten van opzettelijke vermijding en terugtrekking. Plezier komt duidelijk naar voren in de spontane interactie, in zeer voorspelbare bewegingsspelletjes en liedjes, die eerder werden gedaan, en in fysieke activiteiten, zoals stoeien.

Communicatie en taal: Deze kinderen zijn wel in staat tot eenvoudige gebaren en momenten van complexe intentionele communicatie om iets te krijgen (protoimperatieve gebaren), zoals bij het pakken van de hand van de ouder om de deur te openen. Deze kinderen kunnen geleidelijk aan leren één- of tweewoord zinnen gericht te gebruiken. In veel gevallen volgt dit op een onderbreking van verworven spontane taal (of eenvoudige gebarentaal of het wijzen naar plaatjes) tussen de 18 en 24 maanden. Deze kinderen leren makkelijker rijtjespatronen zoals het abc, bekende kinderliedjes of video's en boekteksten. Deze kinderen behoeven veel interactie om vorderingen te blijven maken in het communicatief taalgebruik; de spontaniteit en adaptatie kunnen hiermee toenemen.

Deze kinderen kunnen ook scheldwoorden gaan gebruiken als zij gefrustreerd worden in hun behoeften of wensen en heel boos zijn. Dit gaat vaak gepaard met motorische activiteit. Er kan ook een aanzet zijn tot experimenteren met eenvoudig symbolisch spel, dat gerelateerd is aan de onmiddellijke omgeving. Daarbij wordt speelgoed functioneel gehanteerd (zoals het proberen om een speelgoedkoekje te eten of om in een speelgoedauto te klimmen of zelfs op een kleine schoolbus of speelgoedpaard te gaan zitten).

Sensorische verwerking: Deze kinderen beginnen hun ervaringen te integreren, maar nog steeds vertonen zij een gemengde reactiviteit met grote neiging tot overmatig reageren en tot overprikkeld raken. Motorische planning is moeilijk maar wordt vlotter beheerst (in tegenstelling tot de onderreactiviteit bij patroon A).

Adaptatie: Van de drie groepen is de aanpassing bij deze kinderen het beste, maar nieuwe ervaringen zijn moeilijk. Zij neigen tot gerichte opzettelijke vermijding met negatief gedrag en trekken zich slechts sporadisch terug. Ze kunnen beter omgaan met overgangen wanneer ze voldoende tijd, aanwijzingen en signalen krijgen om zich voor te bereiden.

Dit patroon dient niet geclassificeerd te worden bij kinderen jonger dan 15 maanden: het vermogen tot complexe gedragingen en handelingen ontwikkelt zich weliswaar vroeger, maar hoeft nog niet zichtbaar te zijn onder de leeftijd van 15 maanden, vanwege de normale individuele variaties. Deze kinderen kunnen soms in gedrag (en later in taal) gedesintegreerd raken en opzettelijk negatief of vermijdend reageren (bijv. zich omdraaien) als ze overbelast worden.

Interventies die de duur van de interactiereeksen verlengen en symbolische verwerking van gevoelens bevorderen, kunnen ertoe leiden dat deze kinderen een gestage toename vertonen in contact, emotionele expressiviteit en niveau van symbolisch denken.

Bijlage 3

Overzicht van het classificatiesysteem

Richtlijnen bij de keuze van de juiste classificatie

De hoofddiagnose dient de meest op de voorgrond staande kenmerken van de stoornis weer te geven.

De hierna volgende richtlijnen dienen ter bepaling van de hiërarchie van de classificaties.

1 Een Traumatische stresstoornis komt als eerste classificatie in aanmerking wanneer de stoornissen er niet zouden zijn zonder de stressor.
2 Een Regulatiestoornis wordt overwogen als er duidelijke constitutionele of op rijping gebaseerde problemen bestaan met sensorische, en motorische problemen en problemen met de verwerking, organisatie of integratie van prikkels en ervaringen.
3 Een Aanpassingsstoornis wordt overwogen als de problemen mild zijn en van relatief korte duur (minder dan 4 maanden), en verband houden met een duidelijke gebeurtenis.
4 Stoornissen in de stemming en het affect worden overwogen indien er noch sprake is van constitutionele kwetsbaarheid of rijpingsfactoren, noch sprake is van significante stress of trauma's en wanneer de problemen niet van korte duur zijn.
5 Multisysteem ontwikkelingsstoornissen en Reactieve hechtingsstoornis/Stoornis met deprivatie/mishandeling krijgen voorrang boven alle andere categorieën.
6 Een Ouder-kind relatiestoornis wordt overwogen als bepaalde problemen uitsluitend voorkomen in relatie tot een bepaalde persoon.
7 As I wordt niet gebruikt als het enige probleem betrekking heeft op de relatie.
8 Reactieve hechtingsstoornis/Stoornis met deprivatie-/mishandeling wordt gereserveerd voor gevallen met evident inadequate zorg op fysiek, persoonlijk en/of emotioneel niveau.
9 Veel voorkomende symptomen zoals eet- en slaapstoornissen vereisen een evaluatie van de onderliggende problemen, zoals een trauma, een aanpassingsreactie of een Reactieve hechtingsstoornis/Stoornis met deprivatie-/mishandeling, Regulatiestoornis of Multisysteem ontwikkelingsstoornissen of kunnen bestaan als losstaande problemen.
10 In zeldzame gevallen, kan een kind twee diagnoses krijgen onder As I (zoals Stoornis in slaapgedrag en Separatieangststoornis (DSM IV).)

AS I: Primaire diagnose

Geeft de meest op de voorgrond staande kenmerken weer van de stoornis.

100. Traumatische Stressstoornis

Een continuüm van symptomen gerelateerd aan een enkele of een serie traumatische gebeurtenis(sen), of aan chronische, langdurige stress:

1 Herbeleving van het trauma, zoals blijkt uit:
   a) Posttraumatisch spel.
   b) Steeds terugkerende herinneringen aan het trauma buiten het spel.
   c) Terugkerende nachtmerries.
   d) Stressreactie bij blootsteling aan stimuli die aan het trauma herinneren.
   e) Flashback of dissociatie.

2 Verminderd reageren op de omgeving of verstoring van de ontwikkelings-voortgang:
   a) Toenemende sociale teruggetrokkenheid.
   b) Affectvervlakking.
   c) Tijdelijk verlies van vaardigheden.
   d) Verminderde spelactiviteit.

3 Toegenomen waakzaamheid:
   a) Nachtelijke paniekaanvallen.
   b) Moeilijk gaan slapen.
   c) Herhaaldelijk nachtelijk ontwaken.
   d) Significante aandachtsproblemen.
   e) Verhoogde waakzaamheid.
   f) Overdreven schrikreacties.

4 Nieuwe symptomen die er voorheen niet waren:
   a) Agressief gedrag.
   b) Scheidingsangst.
   c) Angst om alleen naar de wc te gaan.
   d) Angst voor het donker.
   e) Andere nieuwe angsten.
   f) Zelfdestructief gedrag of masochistisch provocerend gedrag.
   g) Seksuele en agressieve gedragingen.
   h) Andere niet verbale reacties, somatische klachten, nabootsen met gebaren, huidstigmata, pijn of onecht gedrag.

200. Affectieve stoornissen

Hebben betrekking op de ervaringen van het kind en op symptomen die algemeen kenmerk zijn van het functioneren van het kind en niet specifiek zijn voor bepaalde relaties of omstandigheden.

201. Angststoornis op Zuigelingenleeftijd en in de Vroege Kinderjaren

Niveau van angst of vrees is hoger dan normaal op die leeftijd te verwachten reacties op moeilijke situaties.
1 Meerdere of specifieke angsten.
2 Excessieve separatieangst of angst voor vreemden.
3 Excessieve angst of paniek zonder duidelijke aanleiding.
4 Excessieve inhibitie of beperking van gedragsrepertoire.
5 Gebrekkige ontwikkeling van basale ego-functies.
6 Agitatie, onbeheersbaar huilen of schreeuwen, slaap- en eetstoornissen, roekeloos gedrag en andere gedragsuitingen van angst.
Criterium: dient minstens twee weken te bestaan en interfereert met adequaat functioneren.

202. Stemmingsstoornis: Verlengde Rouw/Depressieve reactie

1 Huilen, roepen en zoeken van de afwezige ouder, en afwijzen van troost.
2 Zich emotioneel terugtrekken, lethargische, verdrietige gelaatsuitdrukking en gebrek aan interesse voor leeftijdsgebonden activiteiten.
3 Verstoringen in eet- en slaapgedrag.
4 Regressie of verlies van eerder bereikte ontwikkelingsmijlpalen
5 Beperkte affectieve uitingen.
6 Teruggetrokken gedrag.
7 Gevoeligheid voor herinneringen aan de afwezige verzorger.

203. Stemmingsstoornis: Depressie op Zuigelingenleeftijd of Vroege Kinderleeftijd

1 Patroon van gedrukte stemming of prikkelbaarheid met verminderde interesse en/of plezier in ontwikkelingsgebonden activiteiten, verminderde capaciteit om te protesteren, excessief jengelen en verminderde sociale interacties en initiatief. Slaap- of eetstoornissen.

Criterium: dient tenminste twee weken te bestaan.

204. Gemengde Stoornis in Emotionele Expressiviteit

Persisterende problemen met het uiten van leeftijdadequate emoties.
1 Geheel of bijna geheel ontbreken van een of meerdere typen emoties behorend bij het ontwikkelingsniveau.
2 Beperkte of weinig gedifferentieerde emotionele expressie voor de betreffende ontwikkelingsfase.
3 Stoornis in de intensiteit.
4 Omkering van affect of inadequaat affect.

205. Genderidentiteitsstoornis bij kinderen

Wordt manifest tijdens de sensitieve periode in de ontwikkeling van de geslachtsidentiteit (ongeveer tussen 2 en 4 jaar).
1 Een sterke en persisterende conflictvolle genderidentificatie
   a) Herhaaldelijk geuite wens tot het andere geslacht te behoren of het hardnekkig volhouden, dat hij of zij tot het andere geslacht behoort.
   b) Bij jongens: het zich willen kleden als een meisje of een vrouwelijke rol aannemen; bij meisjes, het zich willen kleden als een jongen.
   c) Bij spelletjes de andere sekse willen zijn; zich steeds inbeelden dat hij of zij van het andere geslacht is.
   d) Een intens verlangen te willen deelnemen aan de spelletjes en vrijetijdsactiviteiten van het andere geslacht
   e) Een sterke voorkeur voor vriendjes van het andere geslacht
2 Een persisterende ontevredenheid met het eigen geslacht of een gevoel van onbehagen in die genderrol.
3 Afwezigheid van een niet psychiatrische medische aandoening.

206. Reactieve Hechtingsstoornis en Stoornis met Deprivatie/Mishandeling

1 Aanhoudende verwaarlozing of mishandeling, fysiek of psychologisch, door de verzorgers, die het basisgevoel van veiligheid en gehechtheid ondermijnt.
2 Veelvuldige verandering of inconsistente aanwezigheid van primaire verzorgers.
3 Andere belemmerende factoren in de omgeving die een stabiele hechting onmogelijk maken.

300. Aanpassingsstoornis

Milde, voorbijgaande en situatiegebonden verstoringen die gerelateerd zijn aan duidelijke externe gebeurtenissen en niet langer dan vier manden duren.

400. Regulatiestoornissen

Problemen met de regulatie van het gedrag, de aandacht en van processen van fysiologische, sensorische, motorische, en emotionele aard, en verder problemen met het bereiken van een kalme, alerte of emotioneel positieve toestand. Er dient minstens een sensorisch, senso-motorisch of verwerkingsprobleem uit onderstaande lijst van symptomen vastgesteld te zijn.

1 Hypo- of hyperreactiviteit ten aanzien van luide, hoog- of laagfrequente geluiden.
2 Bovenmatige of onvoldoende reactie op fel licht of nieuwe en opvallende visuele prikkels.
3 Tactiele afweer en/of orale hypersensitiviteit.
4 Oraal-motorische problemen of coördinatieproblemen onder invloed van gebrekkige spiertonus, motorische planningsproblemen en/of orale hypersensitiviteit.
5 Verminderde reactie op aanraking of pijnprikkels.
6 Gravitatie problemen.
7 Hyper- of hyporeactiviteit ten aanzien van geuren.
8 Hyper of hyporeactiviteit ten aanzien van temperatuur.
9 Zwakke spiertonus en spierstabiliteit.
10 Kwalitatieve tekorten in motorische planningsvaardigheden.
11 Kwalitatieve tekorten in de modulatie van motorische activiteiten.
12 Kwalitatieve tekorten in de fijne motoriek.
13 Kwalitatieve tekorten in verbaal-auditieve informatieverwerking.
14 Kwalitatieve tekorten in het articulatievermogen.
15 Kwalitatieve tekorten in de visueel-ruimtelijke informatiewerking
16 Kwalitatieve tekorten in het vermogen de aandacht te richten en vast te houden.

Typen regulatiestoornissen

401. Type I: Hypersensitief

Twee verschillende typen:
Bang en voorzichtig
   Gedragspatronen: excessieve voorzichtigheid, geremdheid en/of angst.
   Motorische en sensorische patronen: overreactie bij aanraking, harde geluiden of fel licht.
Negatief en dwars
   Gedragspatronen: negatief, koppig, controlerend en dwars. ·
   Motorische en sensorische patronen: overmatige reactie op aanraken en op geluid; vaak intacte visueel-ruimtelijke vaardigheden; minder goede auditieve verwerking; goede spiertonus en houdingscontrole; maar moeite met fijnmotorische coördinatie en/of motorische planning; enige achterstand in fijnmotorische coördinatie.

402. Type II: Hyporeactief

Teruggetrokken en moeilijk te benaderen
  Gedragspatronen: lijkt niet geïnteresseerd in relaties, beperkte exploratie van spel en materiaal. Lijkt apathisch, snel vermoeid en teruggetrokken.
  Motorische en sensorische patronen: hyporeactief ten aanzien van geluiden en beweging in de ruimte; hyper- of hyporeactiviteit ten aanzien van aanraking; intacte visueel-ruimtelijke verwerkingscapaciteiten, maar auditief-verbale verwerkingsproblemen; zwakke motorische kwaliteit en motorische planning.
In zichzelf gekeerd
  Gedragspatronen: creatief en fantasierijk, met neiging tot opgaan in eigen gevoelens, gedachten en stemmingen.
  Motorische en sensorische patronen: verminderde auditief-verbaal verwerkingscapaciteiten.

403: Type III: Motorisch Gedesorganiseerd, Impulsief

Gemengde sensorische reactiviteit en motorische verwerkingsproblemen. Sommigen zijn meer agressief, zonder vrees en destructief, terwijl anderen meer impulsief en bang overkomen.

Gedragpatronen: hoog activiteitsniveau, waarbij het kind contact en stimulering zoekt door middel van sterke aanraking/druk. Het kind komt roekeloos over.
Motorische en sensorische patronen: sensorische hyporeactiviteit en motorische ontlading.

403. Type IV: Overige

500. Stoornis in Slaapgedrag

Slaapstoornis is het enige probleem; onder de drie jaar; geen bijkomende problemen in de sensorische reactiviteit of verwerking.
Problemen met het in- of doorslapen; soms ook problemen met het zelf tot rust komen en met overgangen van waken naar slapen en andersom.

600. Stoornis in Eetgedrag

Problemen met het bereiken van een regelmatig eetschema met adequate voedselinname Afwezigheid van algemene regulatieproblemen of interpersoonlijke luxerende factoren (zoals separatie, trauma, contactafweer).

700. Stoornissen in de Relatievorming en de Communicatie

1 DSM-IV concept van de Pervasieve Ontwikkelingsstoornis of
2 Multisysteem Ontwikkelingsstoornis

Multisysteem Ontwikkelingsstoornis:
1 Significante beperking in, niet afwezigheid, van vermogen emotionele en sociale relaties aan te gaan met de primaire verzorger.
2 Significante beperking in het initiëren, onderhouden of uitbouwen van communicatie.
3 Significante disfuncties in de auditieve prikkelverwerking.
4 Significante disfuncties in de verwerking van andere prikkels en motorische planning (bewegingsreeksen).

701. Patroon A

Deze kinderen gedragen zich doelloos en zijn meestal niet bij interacties betrokken, met ernstige problemen in de motorische planning, zodat zelfs de uitvoering van eenvoudige intentionele gebaren problemen geeft.

702. Patroon B

Deze kinderen zijn van tijd tot tijd relationeel betrokken en soms in staat tot eenvoudige intentionele handelingen.

703. Patroon C

Deze kinderen vertonen een meer consistent/geïntegreerd gevoel voor relaties, zelfs als zij ontwijkend en rigide gedrag vertonen.

As II: Ouder-kind Relatiestoornissen

Drie aspecten van de relatie:
1 Gedragskenmerken van de interactie;
2 Affectieve toonzetting; en
3 Mate van psychologische betrokkenheid

901. Overbetrokken Relatie

Lichamelijke en/of psychologische overbetrokkenheid:
1 Ouder interfereert vaak met de intenties en wensen van kind.
2 Overmatige controle.
3 Stellen van ontwikkelingsinadequate eisen.
4 Kind gedraagt zich verward, weinig gefocust en ongedifferentieerd.
5 Kind gedraagt zich onderdanig, te inschikkelijk of juist opstandig.
6 Kind mist bepaalde motorische en/of taalvaardigheden.

902. Onvoldoende Betrokken
Gemis aan oprechte betrokkenheid

1 Ouder is ongevoelig en/of niet responsief.
2 Zichtbare inconsistentie tussen de attitude van de ouder ten aanzien van het kind en de kwaliteit van de daadwerkelijke interacties.
3 Negeren, afwijzen of niet troosten.
4 Geen empathisch reageren en geen terugkoppeling van de gevoelens van het kind.
5 Onvoldoende bescherming.
6 De interacties zijn ontregeld.
7 Géén of zeldzame momenten van verbondenheid.
8 Het kind komt onverzorgd over in fysieke en/of psychologische zin.
9 Het kind is achter of vrolijk in motoriek en spraak.

903. Angstig Gespannen

Gespannen en ingeperkt, met weinig gevoel voor ontspannen vermaak of wisselwerking.
1 Overbeschermend en overgevoelig.
2 Fysieke omgang onbeholpen of gespannen.
3 Aanwezigheid van enige negatieve verbale/emotionele interacties.
4 Slechte match wat betreft temperament en activiteitsniveau.
5 Kind erg meegaand of angstig.

904. Boos/Vijandig

Ruw en kortaf, emotionele wederkerigheid ontbreekt vaak. In de relatie komt de communicatie boosaardig en vijandig over.
1 Ouder is ongevoelig voor de signalen van het kind.
2 Het fysieke contact met het kind is ruw.
3 Kind lijkt angstig, schuw, verlegen, impulsief of diffuus agressief.
4 Kind afwijzend of afwerend ten aanzien van de ouder.
5 Kind veeleisend en/of agressief ten aanzien van de ouder.
6 Angstig, hyperalert en vermijdend gedrag van het kind.
7 Neiging tot ageren met achterblijvende ontwikkeling van fantasie en verbeeldingsvermogen.

905. Gemengde Ouder-kind Relatiestoornis

Combinatie van bovenbeschreven kenmerken.

906. Ouder-kind Relatiestoornis met Mishandeling

a) Verbale Mishandeling
   1 Bedoeld om de zuigeling of peuter ernstig te kleineren, te beschuldigen, aan te vallen, in te perken en af te wijzen.
   2 Reacties van de zuigeling of peuter variëren van beklemming en alertheid tot ernstig externaliserend gedrag.

b) Fysieke Mishandeling
   1 Lichamelijk letsel wordt toegebracht door tikken geven, slaan, knijpen, bijten en schoppen, fysieke onderdrukking, opsluiting, enzovoorts.
   2 Onthouding van voedsel, medische hulp, en/of gelegenheid om te rusten.
   3 Kan ook periodes omvatten van verbale en/of emotionele en/of seksuele mishandeling.

c) Seksuele Mishandeling
   1 Seksueel verleidend en overprikkelend gedrag jegens het jonge kind: het kind dwingen tot seksuele betasting van of door de ouder of naar seksuele handelingen van anderen te kijken.
   2 Een jong kind vertoont seksueel geladen gedrag, zoals seksueel exhibitionisme of het steeds gluren naar of aanraken van andere kinderen.
   3 Kan ook periodes van verbale of emotionele en/of fysieke mishandeling omvatten.

As III: Medische en Ontwikkelingsdiagnoses

Geven bijkomende stoornissen aan op somatisch (medisch en neurologisch), psychisch, en/of ontwikkelingsgebied, met gebruikmaking van DSM IV en de ICD- 9/10, en met specificatie van discipline zoals: onderwijs, logopedie, ergotherapie, fysiotherapie.

As IV: Psychosociale Stressfactoren

Vaststelling van bronnen van stress (uithuisplaatsing, adoptie, verlies ouder, natuurlijke catastrofe, ziekte ouder, etc...).
Totale impact van de stress:
Milde effecten: veroorzaakt herkenbare overbelasting, spanning of angst maar interfereert niet met algemene adaptatie.
Matige effecten: ontsporing op gebieden van adaptatie maar niet op cruciale gebieden als relatievorming en communicatie.
Ernstige effecten: significante ontsporing op ontwikkelingsgebieden.

1 Ernst (mild tot catastrofaal)
2 Duur (acuut tot chronisch)
3 Totale impact (geen, mild, matig, ernstig)

As V: Functioneel Emotioneel Ontwikkelingsniveau

Noodzakelijke processen en vaardigheden:
1 Wederzijdse aandacht: vermogen van ouder-kind paar om aandacht met elkaar te delen.
2 Wederzijdse betrokkenheid: gezamenlijke emotionele betrokkenheid.
3 Intentie en wederkerigheid: vermogen tot wederkerigheid in interactie: kind geeft signalen af en beantwoordt doelgericht.
4 Representaties/emotionele communicatie: emotionele thema's worden in taal en spel gecommuniceerd.
5 Uitwerking van representaties: doe alsof spel en symbolische communicatie die dagelijkse behoeftes overstijgen en die meer complexe intenties, wensen of gevoelens bevatten.
6 Differentiatie van representaties I: doe alsof spel en symbolische communicatie, waarin ideeën logisch verbonden te zijn; weten wat wel en niet echt is.
7 Differentiatie van representaties II: complex doe alsof spel; drie of meer ideeën worden logisch aan elkaar verbonden met daarin verwerkt concepten van causaliteit, tijd en ruimte.

Totaal Functioneel Emotioneel Ontwikkelingsniveau:
1 Heeft verwacht niveau volledig bereikt
2 Is op verwacht niveau maar met beperkingen
3 Huidig verwacht niveau is niet bereikt maar wel alle voorgaande niveaus
4 Huidig verwacht niveau is niet bereikt, maar wel enkele voorgaande niveaus
5 Géén van de voorgaande niveaus zijn bereikt